2025
年度版

よくわかる
社労士 合格テキスト

2 労働安全衛生法

TAC社会保険労務士講座●編著

JN039460

TAC出版
TAC PUBLISHING Group

はじめに

　ここ最近の社労士試験の出題傾向をみてみると、選択式については、年度により難易度に変動はあるものの、「覚えた事柄から単純・反射的に選ぶ性質の問題」から「知識をフル活用して推測しつつ、選択語群の語句を消去法で絞り込まないと正解を選べない高度な問題」まで出題内容が多岐にわたっています。単にテキスト中の語句や数字等を記憶しているだけでは、すべての科目において基準点（3点）をクリアするための得点ができるとは言えない試験になってきているといえます。

　また、択一式については、「組合せ問題」と「正解の個数問題」という出題形式は定着しており、とくに「正解の個数問題」については、1問にかける時間が長くなるため、非常に負荷が高くなっています。事例形式の問題も増え、「実務と直結した内容の出題を。」という意図も感じられるようになっています。

　これらの傾向に対応するためには、素早く確実に出題の意図を読み取り判断していく能力が求められるので、基本事項の反復を徹底し、早い時期にそのレベルでの対策を仕上げておき、時間的に余裕をもって応用問題等の細かい知識の対応に時間を割けるようにしておくことが必要でしょう。

　本書は、社労士試験に確実に合格するための「本格学習テキスト」というコンセプトをもっており、条文や通達、判例など、多くの情報を、社労士本試験問題を解く際に使いやすいよう、コンパクトにまとめています。

　今回の改訂では、直近の法改正事項に対応するために本文内容の加筆・修正を行い、直近の本試験の出題傾向にも対応できるよう内容の見直しも行いました。

　本書を利用したみなさんが、社労士試験に合格されることを、ＴＡＣ社会保険労務士講座一同、願ってやみません。

令和6年9月吉日
ＴＡＣ社会保険労務士講座

法改正ポイント講義

ここでは、2025（令和7）年度の社労士本試験に関連する、主要な法改正内容を紹介していきます。まずは、法改正内容の概要をつかんでおきましょう。詳細は、テキスト本文でじっくり学習していきましょう。

労働者死傷病報告等の電子申請の原則義務化

【令和7年1月1日施行】

　事業者の負担軽減と行政事務の効率化を図るために、以下の報告については、原則として電子申請とすることとされました。

⑴　労働者死傷病報告

⑵　総括安全衛生管理者・安全管理者・衛生管理者・産業医選任報告

⑶　定期健康診断結果報告

⑷　心理的な負担の程度を把握するための検査結果等報告

⑸　有害な業務に係る歯科健康診断結果報告

━━━▶ 第2章、第5章、第6章で学習します。

本試験の傾向

　過去10年間の出題項目は、次のようになっています。★が選択式試験、☆が択一式試験となっています。

	H27	H28	H29	H30	R元	R2	R3	R4	R5	R6
目的等	★☆	☆	☆	★☆	★	☆	☆	★		
大規模事業場の安全衛生管理体制		★	☆		★		☆			☆
小規模事業場又は危険有害作業における安全衛生管理体制			☆					☆		☆
委員会			☆					☆		
建設業等における安全衛生管理体制								☆		
大規模作業の安全衛生管理体制					☆	☆				
小規模作業の安全衛生管理体制								☆		
教育及び援助										
事業者の講ずべき措置	☆	☆		☆	☆	★☆	★			
元方事業者の講ずべき措置	☆				☆			☆		
注文者の講ずべき措置等					☆				★	
特定機械等に関する規制									☆	
構造規格等の具備を要する機械等に関する規制				★	☆					
定期自主検査					☆					★
危険・有害性が判明している物質に関する規制			★				☆			
危険・有害性が不明である物質に関する規制							☆			
就業制限等	★	☆					★			
安全衛生教育							☆	★		
作業環境測定										
健康診断の種類等	☆				☆					
一般健康診断	☆				☆	★			☆	
特殊健康診断				☆						
その他の健康診断									☆	
記録の保存及び事後措置等	☆				☆				☆	
面接指導	☆						☆			☆
心理的な負担の程度を把握するための検査等（ストレスチェック制度）		★		☆						
健康管理手帳及びその他の措置			★						★	
特別安全衛生改善計画等										
計画の届出等										☆
監督組織等			☆	☆			☆			★
雑則等			☆			☆	☆		☆	

本書の構成

　本書は本試験で確実に合格できるだけの得点力を養うことに重点を置き、試験対策において必要とされる知識を整理、体系化して理解することができるよう構成しています。

囲み条文 選択式試験で狙われやすい条文等を囲んでいます。記載内容の重要度は★の数で表しており、★★★のものは、必ず確認しておきましょう。赤字は過去の本試験で論点となったキーワードや、これから出題が予想される重要語句です。それ以外の重要語句は黒太字にしています。

重要度

A、B、Cの3段階です。
A 試験頻出・改正点等の重要事項。必ずおさえる。
B 頻出箇所ではないが、おさえておきたい。合否の分かれ目。
C A、Bを優先とし、余裕があれば、見ておく。

3 定期自主検査

❶ 定期自主検査
（法45条1項、2項、法54条の3,1項）

★★★

Ⅰ　**事業者**は、**ボイラーその他の機械等**で、政令で定めるものについて、**定期**に**自主検査**を行ない、及びその結果を記録しておかなければならない。

Ⅱ　**事業者**は、自主検査のうち**特定自主検査**を行うときは、その使用する労働者で厚生労働省令で定める資格を有するもの又は検査業者（**厚生労働省**又は**都道府県労働局**に備える検査業者名簿への登録を受け、他人の求めに応じて当該**機械等**について**特定自主検査**を行う者）に**実施**させなければならない。

趣旨

　機械等の安全を確保するためには、前述したさまざまな規制に加えて、事業者が当該機械等の使用過程において一定の期間ごとに自主的にその機能をチェックし、異常の早期発見と補修に努める必要がある。本条は、このような趣旨から設けられた規定である。

| Check Point!

□ 特定機械等は、特定自主検査の対象とはされていない。

1.　定期自主検査

　　　　　　　　　　　　　　政令で定める機械等について、その安全を確保するため
　　　　　　　　　　　　務付けられている自

趣旨・沿革・概要

条文等の趣旨、沿革、概要をまとめています。難解な条文等も、ここを読み込めばスムーズに理解できます。

Check Point!

本試験頻出事項などを簡条書きでまとめています。

問題チェック H19-9C

　派遣中の労働者に関しての安全管理者の選任の義務及び安全委員会の設置の義務は、派遣元の事業の事業者（派遣元事業者）のみに課せられているが、当該事業場の規模の算定に当たっては、派遣元の事業場について、派遣中の労働者の数を含めて、常時使用する労働者の数を算出する。

解答 ✕ 　　　　法11条、法17条、労働者派遣法45条3項、同令6条4項

　設問の義務は、派遣先の事業者にのみ課せられている。

Advice
【例】安全管理者の場合
　派遣元の事業場においては、派遣中の労働者を除いた常時使用労働者が50人以上である場合に、安全管理者を選任する必要があり、派遣先の事業場においては、派遣労働者を含めた常時使用労働者が50人以上である場合に、安全管理者を選任する必要がある。

康診断結果は含まれない。

・設置規模
　事業者は、業種を問わず、常時50人以上の**労働者を使用する事業場ごと**に衛生委員会を設けなければならない。 H29-9B R4-10A 　　　　　　　　　(令9条)

参考 〔衛生委員会の調査審議事項（付属事項）〕
上記ivの「労働者の健康障害の防止及び健康の保持増進に関する重要事項」には、次の事項が含まれる。
(1)生に関する規程の作成に関すること。
(2)第28条の2第1項又は第57条の3第1項及び第2項の危険性又は有害性等の調査及びその結果に基づき講ずる措置のうち、衛生に係るものに関すること。
(3)全衛生に関する計画（衛生に係る部分に限る。）の作成、実施、評価及び改善に関すること。
(4)生教育の実施計画の作成に関すること。
(5)化学物質等の有害性の調査並びにその結果に対する対策の樹立に関すること。
(6)業環境測定の結果及びその結果の評価に基づく対策の樹立に関すること。
(7)期に行われる健康診断、法第66条第4項の規定による指示を受けて行われる臨時の健康診断、法第66条の2の自ら受けた健康診断及び法に基づく他の厚生労働省令の規定に基づいて行われる医師の診断、診察又は処置の結果並びにその結果に対する**対策の**立に関すること。
(8)働者の健康の保持増進を図るため必要な措置の実施計画の作成に関すること。
(9)時間にわたる労働による労働者の健康障害の防止を図るための対策の樹立に関すること。
(10)労働者の精神的健康の保持増進を図るための対策の樹立に関すること。
(11)の2第1項、第2項及び第8項（ばく露の程度の低減等）の規定により講ずる措置に関すること。
(12)の2第3項及

本書の効果的な活用法

　「よくわかる社労士」シリーズは、社労士試験の完全合格を実現するための、実践的シリーズです。条文ベースの学習を通して、本試験問題への対応力をスムーズにつけていくことができます。

◉よくわかる社労士シリーズ

『合格テキスト』全10冊＋別冊

『合格するための過去10年本試験問題集』全4冊

　『合格テキスト』をご利用いただく際は、常に姉妹書『合格するための過去10年本試験問題集』の内容を引き合わせながら使用すると、学習効果が倍増します。

・この問題文の論点は何か？

・この問題文の正誤を判断するために必要な要素は何か？

・この問題文の空欄には選択語群のうち、どうしてその語句等が適当とされるのか？

を考えながら、本書を精読することで皆さんの受験勉強が「単に記憶する作業」から「問題文を比較考量して正解を選んでいく行動」へ変化していきます。

　本書を最大限に活用して、「確実に合格ラインをこえる解答能力をつけて合格する」という能動的な学習スタイルを身につけていきましょう。

●よくわかる社労士シリーズを活用した学習法

①まず、『合格するための過去10年本試験問題集』で、試験問題に目を通す。

Check Point!

● どんな問題文かをざっくりつかむことを意識する。
● 解けなくても気にしない！

②『合格テキスト』を科目ごとに読み込む。

Check Point!

● 「過去問番号」が登場する都度、『合格するための過去10年本試験問題集』で該当問題を確認！
　本文の記載内容が、本試験でどのように出題されているかを同時並行で確認することができます。

● 論点を過去問番号の横に、一言で簡潔にメモ！
　テキストの記載内容を自分の知識に落とし込むには、この方法がとても効果的です。この書き込みを見れば問題文がなんとなく思い浮かぶようになると、解答力が格段にアップします。

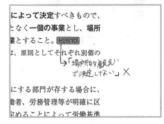

　こうして全科目、ていねいに学習をしていけば、問題がスラスラ解けるようになる知識が身につきます。本シリーズをフル活用して、合格の栄冠を勝ち取っていきましょう。

目　次

第3章　機械等及び危険・有害物

第5章　健康の保持増進のための措置

第6章　特別安全衛生改善計画等、監督等及び雑則等

凡例

本書において、法令名等は以下のように表記しています。

法	→	労働安全衛生法
法別表	→	労働安全衛生法別表
令	→	労働安全衛生法施行令
令別表	→	労働安全衛生法施行令別表
則	→	労働安全衛生規則
則別表	→	労働安全衛生規則別表
有機則	→	有機溶剤中毒予防規則
特化則	→	特定化学物質障害予防規則
高圧則	→	高気圧作業安全衛生規則
石綿則	→	石綿障害予防規則
機械検定則	→	機械等検定規則
クレーン則	→	クレーン等安全規則
コンサルタント則	→	労働安全コンサルタント及び労働衛生コンサルタント規則
ゴンドラ則	→	ゴンドラ安全規則
ボイラー則	→	ボイラー及び圧力容器安全規則
電離則	→	電離放射線障害防止規則
鉛則	→	鉛中毒予防規則
四アルキル則	→	四アルキル鉛中毒予防規則
登録指定省令	→	労働安全衛生法及びこれに基づく命令に係る登録及び指定に関する省令
労基法	→	労働基準法
労災法	→	労働者災害補償保険法
労働者派遣法	→	労働者派遣事業の適正な運営の確保及び派遣労働者の保護等に関する法律
基発	→	厚生労働省労働基準局長名通達
発基	→	厚生労働省労働基準局関係の労働事務次官名通達
基収	→	厚生労働省労働基準局長が疑義に応えて発する通達
厚労告	→	厚生労働省告示
労告	→	(旧) 労働省告示

第**1**章

総　則

目的等

1 目的（法1条）重要度 A

★★★

　労働安全衛生法は、労働基準法と相まって、**労働災害の防止**のための**危害防止基準の確立**、**責任体制の明確化**及び**自主的活動の促進**の措置を講ずる等その**防止**に関する**総合的計画的な対策**を推進することにより職場における**労働者の安全と健康を確保**するとともに、**快適な職場環境の形成を促進**することを目的とする。R元-選D

沿革

　労働安全衛生法は、従来の労働基準法第5章（安全及び衛生）を中核として、労働災害防止団体等に関する法律の第2章（労働災害防止計画）および第4章（労働災害の防止に関する特別規制）を統合したものを母体として技術革新、生産設備の高度化、元請下請労働者の混在作業などに伴う労働災害の防止対策を幅広く展開するための新しい規制事項を加えて成立した（**昭和47年6月**に**成立**し、一部を除き**同年10月**から**施行**）。

・労働基準法との関係

　労働安全衛生法は、形式的には労働基準法から分離独立したものとなっているが、安全衛生に関する事項は労働者の**労働条件**の重要な一端を占めるものであり、第1条［目的］、第3条第1項［事業者の責務］、労働基準法第42条［労働者の安全及び衛生に関する労働安全衛生法への委任］等の規定により、労働安全衛生法と**労働条件**についての一般法である労働基準法とは**一体としての**関係に立つものであることが明らかにされている。したがって、労働基準法の労働憲章的部分（具体的には第1条から第3条［労働条件の原則・労働条件の決定・均等待遇］まで）は、労働安全衛生法の施行にあたっても当然その基本とされなければならない。H29-8E

（昭和47.9.18発基91号）

❷ 定義 (法2条) 重要度 A ★★★

労働安全衛生法において、用語の意義は次のとおりとする。

i 「**労働災害**」とは、**労働者の就業**に係る**建設物、設備、原材料、ガス、蒸気、粉じん等**により、又は**作業行動その他業務に起因して、労働者が負傷**し、**疾病**にかかり、又は**死亡**することをいう。

H28-9B

ii 「**労働者**」とは、労働基準法第9条に規定する**労働者**（**同居の親族のみを使用する事業又は事務所に使用される者**及び家事使用人を除く。）をいう。 H28-9A R3-8A

iii 「**事業者**」とは、**事業を行う者**で、**労働者を使用する**ものをいう。

iv 「**化学物質**」とは、**元素**及び**化合物**をいう。

v 「**作業環境測定**」とは、**作業環境の実態**をは握するため**空気環境**その他の**作業環境**について行う**デザイン、サンプリング**及び**分析**（**解析を含む**。）をいう。 H30-選D

┃Check Point!

☐ 法人の代表者は労働安全衛生法に規定する事業者ではない。

1. 事業者

「事業者」とは、その事業における**経営主体**のことをいい、したがって、個人企業にあってはその事業主個人、法人企業であれば**法人そのもの**を指すことになる。これは、労働基準法上の義務主体である「使用者」と異なり、事業経営の利益の帰属主体そのものを義務主体としてとらえ、その安全衛生上の責任を明確にしたものである。なお、法人の代表者は事業者ではない。 H27-選D H28-9A

(昭和47.9.18発基91号)

2. デザイン

「デザイン」とは、測定対象作業場の作業環境の実態を明らかにするために、当該作業場の諸条件に即した測定計画をたてることをいう。 (昭和50.8.1基発448号)

3. サンプリング

「サンプリング」とは、測定しようとする物の捕集等をいう。 (同上)

4．分析（解析を含む。）

　「分析（解析を含む。）」とは、サンプリングした試料に種々の理化学的操作を加えて、測定しようとする物を分離し、定量し、又は解析することをいう。なお、「解析」とは、騒音計、温度計などの物理的測定機器を用いて物象の状態を分析することをいう。

（昭和50.8.1基発448号）

❸ 適用範囲（法115条、昭和47.9.18発基91号）　重要度 B

1 適用除外

★★

　労働安全衛生法は、**同居の親族のみを使用する事業または事務所を除き**、原則として**労働者を使用する全事業**について**適用**されるが、次のⅰからⅲに掲げる者については**適用されない**。 R2-9A

　ⅰ　**家事使用人** R2-9A

　ⅱ　**船員法**の適用を受ける**船員**

　ⅲ　**国家公務員**

　なお、**鉱山保安法**第2条第2項および第4項の規定による**鉱山の保安**（**衛生**に関する**通気**および**災害時の救護を含む**。）については、第2章［**労働災害防止計画**］の規定を**除き**、労働安全衛生法の規定は**適用されない**。

▌Check Point！

□　鉱山保安法の適用を受ける鉱山における保安（安全確保）については鉱山保安法の規定が適用され、労働安全衛生法の規定は、保安以外の事項（例えば通気を除く衛生に関する事項）について適用される。

1．事業場の範囲

　労働安全衛生法は、事業場を単位として、その業種、規模等に応じて、安全衛生管理体制、工事計画の届出等の規定を適用することにしており、同法による事業場の適用単位の考え方は、労働基準法における考え方と同一である。

R2-9B　R3-9ア　（昭和47.9.18発基91号）

2．事業場の業種のとらえ方

　事業場の業種の区分については、その業態によって個別に決するものとし、経

営や人事等の管理事務をもっぱら行っている本社、支店などは、その管理する系列の事業場の業種とは無関係に決定するものとする。

　たとえば、製鉄所は製造業とされるが、当該製鉄所を管理する本社は、労働安全衛生法施行令第2条［総括安全衛生管理者を選任すべき事業場］第3号の「その他の業種」とする。 H28-9C

(昭和47.9.18発基91号)

問題チェック H29-9A

　次に示す業態をとる株式会社のX市にある本社には、総括安全衛生管理者、衛生管理者及び産業医を選任しなければならない。なお、衛生管理者及び産業医については、選任の特例（労働安全衛生規則第8条及び同規則第13条第3項）を考えないものとする。

・X市に本社を置き、人事、総務等の管理業務と営業活動を行っている。

　　　　使用する労働者数　　　常時40人

・Y市に工場を置き、食料品を製造している。

　　　　工場は24時間フル操業で、1グループ150人で構成する4つのグループ計600人の労働者が、1日を3つに区分した時間帯にそれぞれ順次交替で就業するいわゆる4直3交替で、業務に従事している。したがって、この600人の労働者は全て、1月に4回以上輪番で深夜業に従事している。なお、労働基準法第36条第6項第1号に規定する健康上特に有害な業務に従事する者はいない。

・Z市に2店舗を置き、自社製品を小売りしている。

　　　　Z1店舗　使用する労働者数　　　常時15人

　　　　Z2店舗　使用する労働者数　　　常時15人（ただし、この事業場のみ、うち12人は1日4時間労働の短時間労働者）

解答 ✕ 法10条1項、法12条1項、法13条1項、令2条3号、令4条、令5条、昭和47.9.18発基91号

　労働安全衛生法は事業場を単位として適用することとされているため、X市にある本社の労働者数は常時40人となり、業種は令2条3号の「その他の業種」に該当する。したがって、総括安全衛生管理者、衛生管理者及び産業医のいずれも選任する必要はない（総括安全衛生管理者等の選任については、第2章を参照）。

② 派遣労働者に係る労働安全衛生法の適用区分
（労働者派遣法45条）

★★★

　派遣労働者に係る労働安全衛生法の適用区分は、次表のとおりである。

項　目	派遣元	派遣先
総括安全衛生管理者	○	○
安全管理者		◉
衛生管理者	○	○
産業医	○	○
作業主任者		◉
安全衛生推進者	○	○
衛生推進者	○	○
安全委員会		◉
衛生委員会	○	○
危険・健康障害の防止措置 H30-8D		◉
製造業等の元方事業者の講ずべき措置		◉
定期自主検査		◉
法第28条の2第1項又は第57条の3第1項及び第2項の危険性又は有害性の調査等		◉
新規化学物質の有害性の調査		◉
就業制限		◉
雇入れ時の安全衛生教育	○	
作業内容変更時の安全衛生教育	○	○
特別教育		◉
職長教育		◉
作業環境測定		◉
一般健康診断・保健指導	○	
特殊健康診断 H30-8B		◉
面接指導	○	
面接指導に係る労働時間の把握義務		○
心理的な負担の程度を把握するための検査等	○	
受動喫煙の防止		◉
労働者死傷病報告 H30-8E	○	○

6

1. 総括安全衛生管理者等の取扱い

　労働者派遣法により、**派遣元及び派遣先の事業者の両方**に責任が課されている**総括安全衛生管理者、衛生管理者、安全衛生推進者、衛生推進者**及び**産業医**の選任並びに**衛生委員会**の設置に関しては、派遣元の事業場及び派遣先の事業場の両方で派遣労働者もその事業場の労働者とみなすこととなるため、選任規模の算定に当たっては、派遣先の事業場及び派遣元の事業場の両方について、それぞれ派遣中の労働者を含めて、常時使用労働者数を算定しなければならない。

H27-9A H30-8A

2. 安全管理者等の取扱い

　労働者派遣法により、**派遣先の事業者に責任**が課されている**安全管理者**及び**作業主任者**の選任並びに**安全委員会**の設置に関しては、派遣先に派遣されている労働者は、**派遣先の事業場の労働者とみなす**こととなるため、選任規模の算定に当たっては、派遣元の事業場については、派遣中の労働者を除いて、派遣先の事業場については、派遣労働者を含めて、それぞれ常時使用労働者数を算定することとなる。

3. 安全衛生教育の取扱い

　派遣労働者については、次表のような取扱いとされている。

教育の種類	実施が義務付けられている事業者
雇入れ時の教育	派遣元の事業者 H27-9B H30-8C
作業内容変更時の教育	派遣元及び派遣先の事業者
特別教育及び職長教育	派遣先の事業者 H27-9C

・雇入れ時の教育は、労働者を雇い入れる事業者である派遣元の事業者が行わなければならない。

・作業内容変更時の教育についても、原則として、労働契約関係の当事者である派遣元の事業者が行うべきものであるが、派遣先の事業者に実施義務を課した方が適当な場合（使用する機器を変更するなど作業内容の変更が派遣先で行われる場合等）もあるため、派遣元、派遣先の事業者の双方に実施義務が課せられている。

・特別教育及び職長教育は、現場の設備状況等に合わせて行う必要があるため、派遣先の事業者が行わなければならない。

4.　派遣労働者に対する健康診断の実施

種類	実施が義務付けられている事業者
一般健康診断 （保健指導・面接指導含む）	派遣元の事業者 H27-9D
特殊健康診断	派遣先の事業者 H27-9D

・特殊健康診断の実施義務は、原則として「派遣先」の事業者に課せられているのであるが、ある派遣先で一定の有害業務に従事した後、派遣期間が満了し、現在は派遣元において、又は他の派遣先に派遣されて有害業務以外の業務に従事している者に対する労働安全衛生法第66条第2項後段の規定に基づく特殊健康診断（「特殊健康診断」のうち「有害業務従事後の健康診断」）は、「派遣元」の事業者に実施義務が課せられている。

　なお、ある派遣先で一定の有害業務に従事した後引き続き同一派遣先において有害業務以外の業務に従事している者に対する労働安全衛生法第66条第2項後段の規定に基づく特殊健康診断の実施義務は、当該「派遣先」の事業者にある。

（労働者派遣法45条1項、3項、5項、同則40条1項）

問題チェック H19-9A

労働者がその事業における派遣就業のために派遣されている派遣先の事業を行う者（派遣先事業者）は、派遣中の労働者が安全又は衛生に関し経験を有する者であれば、当該派遣中の労働者を、それぞれ安全委員会若しくは衛生委員会の委員に指名し、又は安全衛生委員会の委員に指名することができる。

解答 ○　　法17条〜法19条、労働者派遣法45条1項、3項、8項

なお、設問の委員会の労働者側委員の指名に当たっては、派遣労働者も参画させる必要があり、また、派遣労働者を、労働者の過半数を代表する者に選任することもできる。

問題チェック H19-9B

派遣中の労働者に関しての総括安全衛生管理者、衛生管理者、安全衛生推進者又は衛生推進者及び産業医の選任の義務並びに衛生委員会の設置の義務は、派遣先事業者のみに課せられており、当該事業場の規模の算定に当たっては、派遣先の事業場について、派遣中の労働者の数を含めて、常時使用する労働者の数を算出する。

解答 ✕　　法10条、法12条、法12条の2、法13条、法18条、労働者派遣法45条1項、同令6条3項

設問の義務は、派遣先及び派遣元の事業者双方に課せられている。

> **Advice**
>
> 【例】衛生管理者の場合
> 　派遣元の事業場においては、派遣中の労働者を含めた常時使用労働者が50人以上である場合に、衛生管理者を選任する必要があり、派遣先の事業場においても、派遣労働者を含めた常時使用労働者が50人以上である場合に、衛生管理者を選任する必要がある。

問題チェック H19-9C

　派遣中の労働者に関しての安全管理者の選任の義務及び安全委員会の設置の義務は、派遣元の事業の事業者（派遣元事業者）のみに課せられているが、当該事業場の規模の算定に当たっては、派遣元の事業場について、派遣中の労働者の数を含めて、常時使用する労働者の数を算出する。

解答 ✕　　　　　　　　　　　　法11条、法17条、労働者派遣法45条3項、同令6条4項

　設問の義務は、派遣先の事業者にのみ課せられている。

> **Advice**
>
> 【例】安全管理者の場合
> 　派遣元の事業場においては、派遣中の労働者を除いた常時使用労働者が50人以上である場合に、安全管理者を選任する必要があり、派遣先の事業場においては、派遣労働者を含めた常時使用労働者が50人以上である場合に、安全管理者を選任する必要がある。

---

④ 事業者等及び労働者の責務 (法3条、法4条) 重要度A

★★★

Ⅰ　**事業者**は、単に労働安全衛生法で定める**労働災害の防止**のための**最低基準を守る**だけでなく、**快適な職場環境の実現**と**労働条件の改善**を通じて職場における**労働者の安全と健康を確保する**ようにしなければならない。また、**事業者**は、国が実施する**労働災害の防止**に関する施策に**協力する**ようにしなければならない。 R2-9D R4-選E

Ⅱ　**機械、器具その他の設備**を設計し、製造し、若しくは**輸入する者**、**原材料**を製造し、若しくは**輸入する者**又は**建設物**を建設し、若しくは**設計する者**は、これらの物の設計、製造、輸入又は建設に際して、これらの物が使用されることによる**労働災害の発生の防止に資する**ように**努めなければならない。** H29-8CD R2-9D

Ⅲ　**建設工事の注文者等仕事を他人に請け負わせる者は、施工方法、
工期等**について、**安全で衛生的な作業の遂行をそこなう**おそれのあ
る**条件を附さないように配慮しなければならない。** R2-9D

Ⅳ　**労働者は、労働災害を防止するため必要な事項を守る**ほか、**事業
者その他の関係者**が**実施する労働災害の防止**に関する**措置に協力**す
るように**努めなければならない。**

<blockquote>

趣旨

　上記ⅠからⅢは事業者の義務、機械等の設計（製造・輸入）者の努力義務、
建設工事の注文者等の配慮義務につき、上記Ⅳは労働者の協力の努力義務に
関して一般原則を宣明したものである。

</blockquote>

1.　建設物を建設する者

　上記Ⅱの「建設物を建設する者」とは、当該建設物の建設を発注した者を指
す。

（昭和47.9.18基発602号）

2.　注文者

　「注文者」とは、仕事を他の者（請負人）に請け負わせている事業者をいう。

❺ 共同企業体〔ジョイント・ベンチャー（JV）〕
（法5条、則1条2項、4項）重要度 B ★★

Ⅰ　**2以上の建設業に属する事業の事業者**が、**一の場所**において行わ
れる当該事業の**仕事を共同連帯して請け負った**場合においては、そ
のうちの**1人**を**代表者として定め**、これを当該**仕事の開始の日の14
日前までに**、当該**仕事が行われる場所**を管轄する**労働基準監督署長
を経由**して、当該**仕事が行われる場所**を管轄する**都道府県労働局長
に届け出**なければならない。 R3-8B

Ⅱ　**Ⅰの規定による届出がないとき**は、**都道府県労働局長**が**代表者**を
指名する。

Ⅲ　**ⅠⅡの代表者の変更**は、**都道府県労働局長に届け出**なければ、そ
の効力を生じない。

Ⅳ　Ⅰに規定する場合においては、**当該事業をⅠ又はⅡの代表者のみの事業**と、**当該代表者のみを当該事業の事業者**と、**当該事業の仕事に従事する労働者**を当該代表者のみが使用する労働者とそれぞれみなして、労働安全衛生法を適用する。 R3-8B

参考 上記Ⅳは、ジョイント・ベンチャーから工事を請け負う下請事業者及び当該下請事業者の労働者に関しては、適用がない。 R3-8B （昭和47.11.15基発725号）

問題チェック 予想問題

　２以上の建設業に属する事業の事業者が、一の場所において行われる当該事業の仕事を共同連帯して請け負った場合においては、そのうちの１人を代表者として定め、これを当該仕事の開始の日の14日前までに当該仕事が行われる場所を管轄する労働基準監督署長に届け出なければならない。

解答 ✕　　　　　　　　　　　　　　　　　　　法5条1項、則1条2項、4項

　「当該仕事が行われる場所を管轄する労働基準監督署長」に届け出るのではなく、「当該仕事が行われる場所を管轄する労働基準監督署長を経由して、当該仕事が行われる場所を管轄する都道府県労働局長」に届け出なければならない。

❻ 労働災害防止計画 （法6条～法9条） C ★

Ⅰ　**厚生労働大臣**は、**労働政策審議会の意見**をきいて、**労働災害の防止のための主要な対策**に関する事項その他労働災害の防止に関し重要な事項を定めた計画（以下「労働災害防止計画」という。）を策定しなければならない。 H28-9D

Ⅱ　**厚生労働大臣**は、**労働災害の発生状況、労働災害の防止**に関する対策の効果等を考慮して必要があると認めるときは、**労働政策審議会の意見**をきいて、**労働災害防止計画を変更**しなければならない。

Ⅲ　**厚生労働大臣**は、**労働災害防止計画を策定**したときは、**遅滞なく、これを公表**しなければならない。これを**変更**したときも、同様とする。

Ⅳ　**厚生労働大臣**は、**労働災害防止計画の的確かつ円滑な実施**のため

必要があると認めるときは、**事業者、事業者の団体**その他の**関係者**に対し、**労働災害**の**防止**に関する事項について**必要な勧告又は要請をすることができる。**

概要

「労働災害防止計画」とは、労働災害を減少させるために国が重点的に取り組む事項を定めた中期計画である。

厚生労働省は、中小事業者なども含め、事業場の規模、雇用形態や年齢等によらず、どのような働き方においても、労働者の安全と健康が確保されていることを前提として、多様な形態で働く一人一人が潜在力を十分に発揮できる社会の実現に向け、国、事業者、労働者等の関係者が重点的に取り組むべき事項を定めた2023年4月から2028年3月までの5年間を計画期間とする「第14次労働災害防止計画」を2023年3月8日に策定した。

当該計画では、目標として重点事項における取組の進捗状況を確認する指標（アウトプット指標）を設定し、アウトカム（達成目標）を定めている。これにより、死亡災害については、「2022年と比較して2027年までに5%以上減少させること」、死傷災害については、「2021年までの増加傾向に歯止めをかけ、死傷者数については、2022年と比較して2027年までに減少に転じさせること」を目指している。

（厚生労働省・労働災害防止計画について）

第2章

安全衛生管理体制

第2章 第1節

全産業の安全衛生管理体制

全産業の安全衛生管理体制

① 概要 重要度 A ★★★

Ⅰ　労働災害を防止するためには、事業場における安全衛生を確保するための管理体制を確立することが必要である。労働安全衛生法においては、大規模事業場では、基本的には、下図のような安全衛生管理体制が採られることになっている（**2**「大規模事業場の安全衛生管理体制」参照）。

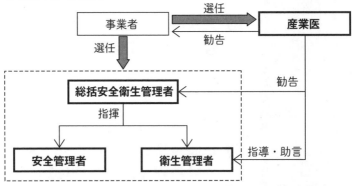

Ⅱ　使用労働者数が常時50人未満の場合、**2**「**大規模事業場の安全衛生管理体制**」を採る必要はないが、常時10人以上規模の場合は、業種に応じて安全衛生推進者か衛生推進者のいずれかを選任しなければならない。また、**規模や業種にかかわりなく**、一定の危険・有害作業に労働者を従事させる場合には**作業主任者**の選任が必要となる。

Ⅲ　事業場において安全衛生を確保するためには、単に事業者が一方的に安全衛生上の措置を講ずるだけではなく、労働災害防止についての労働者の意見を反映させるとともに、労働者の関心を高めることが必要である。このような趣旨から、一定の事業場にあっては、労働者の危険又は健康障害を防止するための基本対策等安全又は衛生に関する重要事項について調査審議させるため、安全委員会及び衛生委員会の設置が義務付けられている。

Check Point !

□ 全産業の安全衛生管理体制についてまとめると次のとおりとなる。

	選任義務のある業種・事業場等の要件			報告義務等	行政官庁による勧告・命令等
	屋外的産業	製造工業的産業等	その他の業種		
総括安全衛生管理者	常時100人以上	常時300人以上	常時1,000人以上	14日以内に選任、遅滞なく労働基準監督署長に報告 R3-10D	都道府県労働局長による勧告
安全管理者	常時50人以上				労働基準監督署長による増員又は解任命令
衛生管理者	常時50人以上				
産業医	常時50人以上				
安全衛生推進者	常時10人以上50人未満			14日以内に選任、労働者への周知※1	行政官庁による勧告・命令等なし
衛生推進者			常時10人以上50人未満		
作業主任者	事業の規模にかかわりなく、一定の危険又は有害な作業			労働者への周知※2	

※1　行政機関への報告義務なし。

※2　14日以内の選任、行政機関への報告義務なし。

□ 安全衛生管理体制の巡視義務についてまとめると次のとおりとなる。

安全管理者	巡視（頻度は規定されていない）
衛生管理者	少なくとも毎週1回巡視
産業医	少なくとも毎月1回※1巡視
店社安全衛生管理者※2	少なくとも毎月1回巡視

※1　毎月1回以上、一定の情報が事業者から産業医に提供される場合で、事業者の同意を得ているときは、少なくとも2月に1回。

※2　第2節において学習する。

□「常時○○人以上の使用労働者」とは、常態として使用する労働者の数が当該数以上であるという意味であり、当該労働者には常用労働者だけでなくパートタイマー、日雇労働者等の臨時的労働者も含まれる。 H29-9E

（昭和47.9.18基発602号）

大規模事業場の安全衛生管理体制

① 総括安全衛生管理者（法10条）重要度 A ★★★

Ⅰ　**事業者**は、政令で定める**規模**の**事業場ごと**に、**総括安全衛生管理者**を選任し、その者に**安全管理者、衛生管理者又は救護に関する技術的事項を管理する者**（以下「救護技術管理者」という。）**の指揮**をさせるとともに、**安全衛生**に関する業務を**統括管理**させなければならない。

Ⅱ　**総括安全衛生管理者**は、当該**事業場**においてその事業の実施を統括管理する者をもって充てなければならない。 H28-選D

Ⅲ　**都道府県労働局長**は、**労働災害を防止**するため必要があると認めるときは、**総括安全衛生管理者の業務の執行**について**事業者に勧告**することができる。

Check Point!

□　総括安全衛生管理者となるためには、安全管理者、衛生管理者、産業医と異なり特段の資格や免許や研修修了や経験等は必要ない。 R2-9C

1.　総括安全衛生管理者を選任すべき事業場

　事業者は、安全衛生に関する業務を統括管理する者として、総括安全衛生管理者を選任しなければならない。

　総括安全衛生管理者を選任すべき事業場の規模は、当該事業場の業種の区分に応じて次表のとおりとなる。 H29-9A R3-9ア R6-8B

業　種	使用労働者数
（屋外的産業） 林業、鉱業、建設業、運送業及び清掃業	常時**100人**以上
（製造工業的産業等） **製造業**（物の加工業を含む）、電気業、ガス業、熱供給業、水道業、通信業、**各種商品卸売業**、家具・建具・じゅう器等卸売業、各種商品小売業、家具・建具・じゅう器小売業、燃料小売業、旅館業、ゴルフ場業、**自動車整備業及び機械修理業**	常時**300人**以上
その他の業種	常時**1,000人**以上

（令2条）

2. 資格

　総括安全衛生管理者には、工場における工場長など名称の如何を問わず、当該事業場においてその事業の実施を実質的に統括管理する権限及び責任を有する者をもって充てなければならない。 R2-9C

（昭和47.9.18基発602号）

3. 業務

　総括安全衛生管理者の業務は、以下のとおりである。

(1)　**安全管理者、衛生管理者又は救護技術管理者**の**指揮**をすること。

(2)　次の業務を**統括管理**すること。

　①　労働者の危険又は健康障害を防止するための措置に関すること。 R3-9イ

　②　労働者の安全又は衛生のための教育の実施に関すること。 R3-9ウ

　③　健康診断の実施その他健康の保持増進のための措置に関すること。

R3-9エ

　④　労働災害の原因の調査及び再発防止対策に関すること。 R3-9オ

　⑤　労働災害を防止するため必要な次の業務。

　　a　安全衛生に関する方針の表明に関すること。

　　b　法第28条の2第1項又は第57条の3第1項及び第2項の**危険性又は有害性等の調査及びその結果に基づき講ずる措置**に関すること。

　　c　**安全衛生**に関する**計画の作成**、**実施**、**評価及び改善**に関すること。

（法10条1項各号、則3条の2）

4. 専属の義務

　「専属」とは、その事業場のみに勤務することをいうが、安衛法上、総括安全衛生管理者が専属の者でなければならない旨の規定はない。

5.　専任の義務

「専任」とは、通常の勤務時間をもっぱらその業務に費やすことをいうが、安衛法上、総括安全衛生管理者が専任の者でなければならない旨の規定はない。

6.　選任の時期

総括安全衛生管理者を選任すべき事由が発生した日から**14日以内**に選任しなければならない。

（則2条1項）

7.　報告 　改正

事業者は、総括安全衛生管理者を選任したときは、**遅滞なく、電子情報処理組織**を使用して、所定の事項を**所轄労働基準監督署長**に**報告**しなければならない。

（則2条）

8.　代理者

事業者は、総括安全衛生管理者が旅行、疾病、事故その他やむを得ない事由によって職務を行なうことができないときは、**代理者を選任しなければならない。**

（則3条）

> **参考** 総括安全衛生管理者が旅行、疾病、事故等によって職務を行うことができないときは、事業者は代理者を選任しなければならないが、これらの事故等が生ずる以前に、あらかじめ、代理者を選任しておくことも差し支えない。
> （昭和47.9.18基発601号の1）

9.　勧告

都道府県労働局長は、労働災害を防止するため必要があると認めるときは、総括安全衛生管理者の業務の執行について**事業者**に**勧告**することができる。

なお当該勧告は、当該事業場の労働災害発生率が他の同業種、同規模の事業場と比べて高く、それが総括安全衛生管理者の不適切な業務執行に基づくものであると考えられる場合等に行われる。

（昭和47.9.18基発602号）

❷ 安全管理者 （法11条） 重要度 A

★★★

Ⅰ　**事業者**は、政令で定める**業種**及び**規模**の**事業場ごと**に、厚生労働省令で定める**資格を有する者**のうちから、**安全管理者**を選任し、その者に第10条第1項各号の業務［**総括安全衛生管理者が統括管理する業務**］（救護技術管理者を選任した場合においては、**労働者**の**救護**に関する措置に該当するものを**除く**。）のうち**安全**に係る**技術的事項**

を**管理**させなければならない。

Ⅱ　**労働基準監督署長**は、**労働災害を防止**するため必要があると認めるときは、**事業者**に対し、**安全管理者の増員又は解任を命ずることができる。**

Check Point!

☐　2人以上の安全管理者を選任する場合に、事業場に専属の者でない外部の労働安全コンサルタントを安全管理者として選任することができるのは、労働安全コンサルタントのうちの1人のみである。

1.　安全管理者を選任すべき事業場

　事業者は、総括安全衛生管理者が統括管理する業務のうち安全に関する技術的事項を管理する者として安全管理者を選任しなければならない。

　安全管理者を選任すべき事業場の規模は、次表のとおりとなる。 R6-8AC

業　種	使用労働者数
（屋外的産業） 林業、鉱業、**建設業**、運送業及び清掃業	常時**50人**以上
（製造工業的産業等） 製造業（物の加工業を含む）、電気業、ガス業、熱供給業、水道業、通信業、各種商品卸売業、家具・建具・じゅう器等卸売業、各種商品小売業、家具・建具・じゅう器小売業、燃料小売業、**旅館業**、ゴルフ場業、自動車整備業及び機械修理業	

(令3条)

2.　資格

　安全管理者は、原則として次のいずれかの資格を有する者でなければならない。

(1)　次のいずれかに該当する者で、総括安全衛生管理者が統括管理する業務のうち**安全に係る技術的事項**を管理するのに**必要な知識**についての**研修**であって**厚生労働大臣**が定めるものを**修了**したもの

①　学校教育法による**大学又は高等専門学校**における**理科系統**の正規の課程を修めて卒業した者で、その後**2年以上産業安全の実務に従事**した経験を有するもの

   ② 学校教育法による高等学校又は中等教育学校において理科系統の正規の学科を修めて卒業した者で、その後**4年以上産業安全の実務に従事**した経験を有するもの

(2) **労働安全コンサルタント**

(3) その他**厚生労働大臣が定める者** (則5条)

3. 業務

安全管理者の業務は、次のとおりである。

(1) 総括安全衛生管理者が統括管理する業務のうち、安全に係る技術的事項を管理すること。

(2) **作業場等を巡視**し、設備、作業方法等に危険のおそれがあるときは、直ちに、その危険を防止するため必要な措置を講ずること。 (則6条1項)

> **参考** (1)の「安全に係る技術的事項」とは、必ずしも安全に関する専門技術的事項に限る趣旨ではなく、総括安全衛生管理者が統括管理すべき法第10条第1項の業務のうち安全に関する具体的事項をいうものと解され、「安全に関する資料の作成、収集及び重要事項の記録」も安全管理者の業務に含まれる。 (昭和47.9.18基発601号の1、602号)

4. 専属の義務

安全管理者は、その事業場に専属の者を選任しなければならない。ただし、**2人以上**の安全管理者を選任する場合において、当該安全管理者の中に**労働安全コンサルタント**がいるときは、当該**労働安全コンサルタントのうち1人**については、事業場に専属の者でなくてもよい。 (則4条1項2号)

5. 専任の義務

次表左欄の業種に応じて、常時右欄に掲げる数以上の労働者を使用する事業場にあっては、安全管理者のうち**少なくとも1人を専任**の安全管理者としなければならない。

業　種	使用労働者数
① 　建設業、有機化学工業製品製造業、石油製品製造業	常時**300人以上**
② 　無機化学工業製品製造業、化学肥料製造業、道路貨物運送業、港湾運送業	常時**500人以上**
③ 　紙・パルプ製造業、鉄鋼業、造船業	常時**1,000人以上**
④ 　過去**3年間**の労働災害による休業**1日以上**の**死傷者数**の合計が**100人を超える**次の業種の事業場 林業、鉱業、運送業（②を除く）、清掃業、製造業（物の加工業を含み、①②③を除く）、電気業、ガス業、熱供給業、水道業、通信業、各種商品卸売業、家具・建具・じゅう器等卸売業、各種商品小売業、家具・建具・じゅう器小売業、燃料小売業、旅館業、ゴルフ場業、自動車整備業、機械修理業	常時**2,000人以上**

表中④は、安全管理者を選任しなければならない業種から、①②③を除いた業種になる。

(則4条1項4号)

6.　選任の時期

安全管理者を選任すべき事由が発生した日から**14日以内**に選任しなければならない。

(則4条1項1号)

7.　報告 改正

事業者は、安全管理者を選任したときは、**遅滞なく、電子情報処理組織**を使用して、所定の事項を、厚生労働大臣が定める研修その他所定の研修を修了した者であることにつき証明することができる**電磁的記録**（電子的方式、磁気的方式その他人の知覚によっては認識することができない方式で作られる記録であって、電子計算機による情報処理の用に供されるものをいう。以下同じ。）等必要な**電磁的記録**を添えて、**所轄労働基準監督署長**に**報告**しなければならない。

(則4条3項)

8.　代理者

事業者は、安全管理者が旅行、疾病、事故その他やむを得ない事由によって職務を行なうことができないときは、**代理者を選任しなければならない。**

(則4条2項)

9.　増員・解任命令

労働基準監督署長は、労働災害を防止するため必要があると認めるときは、**事業者**に対し、安全管理者の**増員又は解任**を命ずることができる。

問題チェック H15-10A

事業者は、2人以上の安全管理者を選任する場合においては、<u>そのうちの1人を除いては</u>、その事業場に専属の者でない外部の労働安全コンサルタントを安全管理者として選任しても差し支えない。

解答 ✕

則4条1項2号

2人以上の安全管理者を選任する場合に、事業場に専属の者でない外部の労働安全コンサルタントを安全管理者として選任することができるのは、労働安全コンサルタントのうちの1人のみである。「そのうちの1人を除いては」とすると、専属の者でない外部の労働安全コンサルタントを安全管理者として複数選任できることになるので誤り。

---

③ 衛生管理者（法12条） 重要度 A ★★★

Ⅰ 　**事業者**は、政令で定める**規模**の**事業場**ごとに、都道府県労働局長の**免許を受けた者**その他厚生労働省令で定める**資格を有する者**のうちから、当該**事業場**の**業務の区分**に応じて、衛生管理者を**選任**し、その者に第10条第1項各号の業務［**総括安全衛生管理者が統括管理する業務**］（救護技術管理者を選任した場合においては、**労働者の救護に関する措置**に該当するものを**除く**。）のうち衛生に係る**技術的事項**を**管理**させなければならない。

Ⅱ 　労働基準監督署長は、**労働災害を防止**するため必要があると認めるときは、**事業者**に対し、**衛生管理者の増員又は解任を命ずる**ことができる。

▌Check Point!

☐ 2人以上の衛生管理者を選任する場合に、事業場に専属の者でない外部の労働衛生コンサルタントを衛生管理者として選任することができるのは、労働衛生コンサルタントのうちの1人のみである。

☐ 衛生管理者の専任義務の規定における「有害業務」に「深夜業」は含まれていない。

1．衛生管理者を選任すべき事業場

事業者は、総括安全衛生管理者が統括管理する業務のうち衛生に関する技術的事項を管理する者として衛生管理者を選任しなければならない。

衛生管理者は、**業種にかかわらず、常時50人以上**の労働者を使用する場合に選任しなければならない。また、事業場の規模に応じて、次表の人数以上の者を選任しなければならない。 H29-9A R6-8AC

事業場の規模（常時使用労働者数）	衛生管理者数
50人以上200人以下	**1人以上**
200人を超え500人以下	**2人以上**
500人を超え1,000人以下	**3人以上**
1,000人を超え2,000人以下	**4人以上**
2,000人を超え3,000人以下	**5人以上**
3,000人を超える場合	**6人以上**

（令4条、則7条1項4号）

参考 （共同の衛生管理者の選任）

都道府県労働局長は、必要であると認めるときは、地方労働審議会の議を経て、衛生管理者を選任することを要しない2以上の事業場で、同一の地域にあるものについて、共同して衛生管理者を選任すべきことを勧告することができる。 （則9条）

2．資格

衛生管理者は、次の資格を有する者のうちから選任しなければならない。

(1) 都道府県労働局長の免許を受けた者

この免許には、次のものがある。

① **第1種衛生管理者免許**

② **第2種衛生管理者免許**※

③ **衛生工学衛生管理者免許**

(2) **医師**又は**歯科医師**

(3) **労働衛生コンサルタント** R元-選E

(4) その他厚生労働大臣の定める者 （則7条1項3号、則10条）

※ 第2種衛生管理者免許を有する者については、有害業務と関連の深い次の業種においては、衛生管理者として選任することができないことになっている。

【第2種衛生管理者以外の者から衛生管理者を選任しなければならない業種】
農林畜水産業、鉱業、建設業、製造業（物の加工業を含む）、電気業、ガス業、水道業、熱供給業、運送業、自動車整備業、機械修理業、医療業、清掃業

（則7条1項3号イ）

3. 業務

衛生管理者の業務は、次のとおりである。

(1)　総括安全衛生管理者が統括管理する業務のうち、衛生に係る技術的事項を管理すること。

(2)　**少なくとも毎週1回作業場等を巡視**し、設備、作業方法又は衛生状態に有害のおそれがあるときは、直ちに、労働者の健康障害を防止するため必要な措置を講ずること。

(則11条1項)

参考 (1)の「衛生に係る技術的事項」とは、必ずしも衛生に関する専門技術的事項に限る趣旨ではなく、総括安全衛生管理者が統括管理すべき法第10条第1項の業務のうち衛生に関する具体的事項をいうものと解され、「労働者の負傷及び疾病、それによる死亡、欠勤及び異動に関する統計の作成」も衛生管理者の業務に含まれる。

(昭和47.9.18基発601号の1、602号)

4. 専属の義務

衛生管理者は、その事業場に**専属の者**を選任しなければならない。ただし、**2人以上**の衛生管理者を選任する場合において、当該衛生管理者の中に労働衛生コンサルタントがいるときは、当該**労働衛生コンサルタントのうち1人については**、事業場に専属の者でなくてもよい（安全管理者と同様である）。

(則7条1項2号)

5. 専任の義務

次の事業場では、衛生管理者のうち**少なくとも1人**を**専任**の衛生管理者としなければならない。

(1)　常時**1,000人**を**超える**労働者を使用する事業場

(2)　常時**500人**を**超える**労働者を使用し、かつ、次表の**有害業務**に常時**30人以上**の労働者を従事させる事業場

(則7条1項5号)

【労働基準法第36条第6項第1号に規定されている「2時間を超えて時間外労働をさせることができない有害業務（主なもの）」】
①　坑内労働（※）
②　多量の高熱物体を取り扱う業務及び著しく暑熱な場所における業務（※）
③　多量の低温物体を取り扱う業務及び著しく寒冷な場所における業務
④　ラジウム放射線、エックス線その他の有害放射線にさらされる業務（※）
⑤　土石、獣毛等のじんあい又は粉末を著しく飛散する場所における業務（※）
⑥　異常気圧下における業務（※）
⑦　削岩機等の使用によって身体に著しい振動を与える業務
⑧　重量物の取扱い等重激なる業務
⑨　ボイラー製造等強烈な騒音を発する場所における業務
⑩　鉛等の有害物の粉じん、蒸気又はガスを発散する場所における業務（※）

(労基法36条6項1号、労基則18条)

なお、常時500人を超える労働者を使用し、かつ、上記の有害業務のうち※印の有害業務に、常時30人以上の労働者を従事させる事業場にあっては、

衛生管理者のうち１人を**衛生工学衛生管理者免許を受けた者**から選任しなければならない。 H29-9C

（則７条１項６号）

6. 選任の時期

衛生管理者を選任すべき事由が発生した日から**14日以内**に選任しなければならない。

（則７条１項１号）

7. 報告 🖊改正

事業者は、衛生管理者を選任したときは、**遅滞なく、電子情報処理組織**を使用して、所定の事項を、都道府県労働局長の免許を受けた者その他衛生管理者となる資格を有する者であることにつき証明することができる**電磁的記録**を添えて、**所轄労働基準監督署長**に**報告**しなければならない。

（則７条３項）

8. 代理者

事業者は、衛生管理者が旅行、疾病、事故その他やむを得ない事由によって職務を行なうことができないときは、**代理者を選任しなければならない。**

（則７条２項）

9. 増員・解任命令

労働基準監督署長は、労働災害を防止するため必要があると認めるときは、**事業者**に対し、衛生管理者の**増員又は解任**を命ずることができる。

❹ 産業医 (法13条1項、2項) 重要度 A

1 選任等 ★★★

> Ⅰ　**事業者**は、政令で定める**規模**の**事業場ごと**に、**医師**のうちから産業医を選任し、その者に**労働者の健康管理**その他の厚生労働省令で定める事項（以下「**労働者の健康管理等**」という。）を**行わせなければならない。**
>
> Ⅱ　産業医は、**労働者の健康管理等**を行うのに必要な**医学に関する知識**について**厚生労働省令で定める要件**を備えた者で**なければならない。**

┌───┐

▌Check Point！▶

□ 産業医に関しては、行政官庁による職務に関する事業者への勧告や増員・解任命令の規定がない。

□ 深夜業を含む業務に常時500人以上の労働者を従事させる事業場にあっては、その事業場に専属の産業医を選任しなければならない。 H29-9B

└───┘

1.　産業医を選任すべき事業場

　事業者は、**労働者の健康を管理**する者として産業医を選任しなければならない。

　産業医は、**業種にかかわらず、常時50人以上**の労働者を使用する場合に選任しなければならない（衛生管理者と同様）。また、常時使用労働者数が**3,000人を超える**事業場にあっては**2人以上**の産業医を選任しなければならない。 H29-9A

事業場の規模（常時使用労働者数）	産業医数
50人以上3000人以下	1人以上
3000人を超える**場合**	**2人以上**

（令5条、則13条1項4号）

2.　資格

　産業医は、**医師**であって、次のいずれかに該当する者のうちから選任しなければならない。

⑴　労働者の健康管理等を行うのに必要な医学に関する知識についての**研修**であって**厚生労働大臣の指定する者（法人に限る）**が行うものを修了した者

⑵　産業医の養成等を行うことを目的とする医学の正規の課程を設置している**産業医科大学**その他の大学であって**厚生労働大臣が指定**するものにおいて当該課程を修めて卒業した者であって、その**大学が行う実習を履修**したもの

⑶　**労働衛生コンサルタント試験**に合格した者で、その試験の区分が**保健衛生**であるもの

⑷　学校教育法による大学において**労働衛生**に関する科目を担当する**教授、准教授又は講師**（常時勤務する者に限る）の職にあり、又はあった者

⑸　⑴～⑷のほか、厚生労働大臣が定める者 （則14条2項）

3.　法人の代表者等が、自らの事業場の産業医を兼任することの禁止

　産業医は、次に掲げる者（①及び②にあっては、事業場の運営について利害関係を有しない者を除く。）以外の者のうちから選任しなければならない。

① 事業者が法人の場合にあっては当該法人の代表者

② 事業者が法人でない場合にあっては事業を営む個人

③ 事業場においてその事業の実施を統括管理する者　　　　（則13条1項2号）

参考 ①から③の詳細は次の通りである。

①	事業者の代表者を当該法人の事業場において産業医として選任してはならないが、他の事業者の事業場において産業医として選任されることは差し支えない
②	事業者が法人でない場合にあって、事業を営む個人を当該事業場において産業医として選任してはならないが、他の事業場において産業医として選任されることは差し支えない
③	事業場においてその事業の実施を総括管理する者を当該事業場において産業医として選任してはならないが、他の事業場において産業医として選任されることは差し支えない

4. 業務

産業医の業務は、次のとおりである。

(1) 労働者の健康管理及び以下の事項で**医学**に関する専門的知識を必要とする事項（労働者の健康管理等）を行うこと。

① 健康診断の実施及びその結果に基づく労働者の健康を保持するための措置に関すること。

② 法第66条の8第1項、第66条の8の2第1項及び第66条の8の4第1項に規定する面接指導（「長時間労働者に対する面接指導」、「研究開発業務従事者に対する面接指導」及び「高度プロフェッショナル制度対象労働者に対する面接指導」）並びに法第66条の9に規定する必要な措置の実施並びにこれらの結果に基づく労働者の健康を保持するための措置に関すること。

③ 法第66条の10第1項に規定する心理的な負担の程度を把握するための検査の実施並びに同条第3項に規定する面接指導の実施及びその結果に基づく労働者の健康を保持するための措置に関すること。

④ 作業環境の維持管理に関すること。

⑤ 作業の管理に関すること。

⑥ ①〜⑤のほか、労働者の健康管理に関すること。

⑦ 健康教育、健康相談その他労働者の健康の保持増進を図るための措置に関すること。

⑧ 衛生教育に関すること。

⑨ 労働者の健康障害の原因の調査及び再発防止のための措置に関すること。

(2) **少なくとも毎月1回**（産業医が、事業者から、**毎月1回以上**、次に掲げる情報の提供を受けている場合であって、**事業者の同意**を得ているときは、**少**

なくとも２月に１回）作業場等を巡視し、作業方法又は衛生状態に有害のおそれがあるときは、直ちに、労働者の健康障害を防止するため必要な措置を講ずること。

① 第11条第１項の規定により衛生管理者が行う巡視の結果

② ①に掲げるもののほか、労働者の健康障害を防止し、又は労働者の健康を保持するために必要な情報であって、衛生委員会又は安全衛生委員会における調査審議を経て事業者が産業医に提供することとしたもの

（則14条１項、則15条１項）

参考 過重労働による健康障害の防止、メンタルヘルス対策等が事業場における重要な課題となっており、また、嘱託産業医を中心に、より効率的かつ効果的な職務の実施が求められている中、これらの対策に関して必要な措置を講じるための情報収集において、作業場等の巡視とそれ以外の手段を組み合わせることも有効と考えられ、これらを踏まえて、毎月１回以上、一定の情報が事業者から産業医に提供される場合においては、産業医の作業場等の巡視の頻度を、少なくとも２月に１回とすることが可能とされている。

5. 専属の義務

次の事業場においては、その事業場に専属の者を産業医として選任しなければならない。

(1) 常時**1,000人以上**の労働者を使用する事業場

(2) 次の有害業務に、常時**500人以上**の労働者を従事させる事業場

【従事者**500人以上**で専属の産業医が必要となる有害業務（主なもの）】
① 坑内労働
② 多量の高熱物体を取り扱う業務及び著しく暑熱な場所における業務
③ 多量の低温物体を取り扱う業務及び著しく寒冷な場所における業務
④ ラジウム放射線、エックス線その他の有害放射線にさらされる業務
⑤ 土石、獣毛等のじんあい又は粉末を著しく飛散する場所における業務
⑥ 異常気圧下における業務
⑦ 削岩機等の使用によって身体に著しい振動を与える業務
⑧ 重量物の取扱い等重激な業務
⑨ ボイラー製造等強烈な騒音を発する場所における業務
⑩ 鉛等の有害物のガス、蒸気又は粉じんを発散する場所における業務
⑪ 深夜業を含む業務
⑫ 水銀、砒素、黄りん等の有害物を取り扱う業務
⑬ 病原体によって汚染のおそれが著しい業務

・上記①から⑩は衛生管理者の専任義務の規定中「２時間を超えて時間外労働をさせることができない有害業務①から⑩」と同様である。

（則13条１項３号）

6. 専任の義務

専任の産業医を選任する旨の規定はない。

7. 選任の時期

産業医を選任すべき事由が発生した日から**14日以内**に選任しなければならない。

（則13条１項１号）

8. 報告 ✏️改正

事業者は、産業医を選任したときは、**遅滞なく、電子情報処理組織**を使用して、所定の事項を、産業医となる要件を備えた者であることにつき証明することができる電磁的記録等必要な電磁的記録を添えて、**所轄労働基準監督署長**に**報告**しなければならない。ただし、学校保健安全法（認定こども園法において準用する場合を含む。）の規定により任命し、又は委嘱された学校医で、当該学校（認定こども園法において準用する場合にあっては、幼保連携型認定こども園）において産業医の職務を行うこととされたものについては、当該報告をする必要がない。

（則13条2項）

9. 代理者

産業医について代理者を選任する旨の規定はない。

> **参考**（産業歯科医の職務等）
> 1. 事業者は、塩酸、硝酸、硫酸、亜硫酸、弗化水素、黄りんその他歯又はその支持組織に有害な物のガス、蒸気又は粉じんを発散する場所における業務に**常時50人以上**の労働者を従事させる事業場については、産業医の職務とされる事項のうち、当該労働者の歯又はその支持組織に関する事項について、適時、**歯科医師の意見を聴く**ようにしなければならない。
> 2. 1.の事業場の労働者に対して健康診断を行なった**歯科医師**は、当該事業場の**事業者**又は**総括安全衛生管理者**に対し、当該労働者の健康障害（**歯又はその支持組織に関するものに限る。**）を防止するため必要な事項を**勧告**することができる。　（則14条5項、6項）

問題チェック H6-8B

労働基準監督署長は、労働者の健康障害を防止するため必要があると認めるときは、事業者に対し、産業医の解任を命ずることができる。

解答 ✕

法13条

労働基準監督署長は、事業者に対し、産業医の解任命令を発することはできない。

---

2 産業医の独立性・中立性の強化等
（法13条3項～6項、則14条の3,3項、4項）

★★★

Ⅰ　産業医は、労働者の**健康管理等**を行うのに**必要な医学**に関する**知識**に基づいて、**誠実にその職務**を行わなければならない。

Ⅱ　産業医を選任した**事業者**は、**産業医**に対し、厚生労働省令で定めるところにより、労働者の**労働時間**に関する情報その他の**産業医**が労働者の**健康管理等**を**適切**に行うために**必要な情報**として厚生労働

省令で定めるものを**提供しなければならない。**

Ⅲ　産業医は、**労働者の健康を確保するため必要があると認めるとき**は、**事業者**に対し、**労働者の健康管理等**について**必要な勧告をすることができる。**この場合において、**事業者**は、当該勧告を尊重しなければならない。

Ⅳ　**事業者**は、Ⅲの**勧告**を受けたときは、勧告の**内容**及び当該勧告を踏まえて**講じた措置又は講じようとする措置の内容**（措置を講じない場合にあっては、**その旨及びその理由**）を勧告を受けた後**遅滞なく衛生委員会又は安全衛生委員会に報告しなければならない。**

1.　勧告・指導等

(1)　産業医は、自己の職務に関する事項について、**総括安全衛生管理者に対して勧告**をし、又は衛生管理者に対して**指導**し、若しくは**助言**することができる。

(2)　事業者は、産業医が上記Ⅲの勧告をしたこと又は(1)の勧告、指導若しくは助言をしたことを理由として、産業医に対し、解任その他不利益な取扱いをしないようにしなければならない。

（則14条 3 項、 4 項）

> **参考**（産業医による勧告）
> 1.　産業医は、上記Ⅲの勧告をしようとするときは、あらかじめ、当該勧告の内容について、事業者の意見を求めるものとする。
> 2.　事業者は、上記Ⅲの勧告を受けたときは、次に掲げる事項を記録し、これを**3年間保存**しなければならない。
> 　(1)当該勧告の内容
> 　(2)当該勧告を踏まえて講じた措置の内容（措置を講じない場合にあっては、その旨及びその理由）
> （則14条の3,1項、 2 項）
>
> （産業医の選任が義務づけられていない事業場）
> 事業者は、産業医の選任が義務づけられていない事業場については、労働者の健康管理等を行うのに必要な**医学**に関する**知識**を有する医師その他労働者の健康管理等を行うのに必要な知識を有する保健師に労働者の健康管理等の全部又は一部を行わせるように**努め**なければならない。
> （法13条の2,1項、則15条の2,1項）

2.　産業医に対する情報提供

(1)　事業者は、上記Ⅱに基づき以下の情報を産業医に提供しなければならない（常時使用労働者数50人未満の事業場は努力義務）。　（法13条 4 項、法13条の2,2項）

① 「健康診断実施後の措置」又は「長時間労働者、研究開発業務従事者、高度プロフェッショナル制度対象労働者に対する面接指導、ストレスチェックの結果に基づく面接指導の実施後の措置」の規定により既に講じ

た措置又は講じようとする措置の内容に関する情報（これらの措置を講じない場合にあっては、その旨及びその理由）

② 休憩時間を除き1週間当たり40時間を超えて労働させた場合におけるその超えた時間又は1週間当たりの健康管理時間が40時間を超えた場合におけるその超えた時間が1月当たり80時間を超えた労働者の氏名及び当該労働者に係る当該超えた時間に関する情報

③ ①②に掲げるもののほか、労働者の業務に関する情報であって産業医が労働者の健康管理等を適切に行うために必要と認めるもの

(2) 当該情報の提供は、次の①から③に掲げる情報の区分に応じ、当該①から③に定めるところにより行うものとする。

①	(1)①に掲げる情報	医師又は歯科医師からの意見聴取を行った後、遅滞なく提供すること。
②	(1)②に掲げる情報	毎月1回以上、一定の期日を定めて行われるその超えた時間の算定を行った後、速やかに提供すること。
③	(1)③に掲げる情報	産業医から当該情報の提供を求められた後、速やかに提供すること。

（則14条の2、則15条の2,3項）

3. 辞任又は解任の報告

事業者は、産業医が辞任したとき又は産業医を解任したときは、**遅滞なく**、その旨及びその理由を衛生委員会又は安全衛生委員会に報告しなければならない。

（則13条4項）

4. 周知義務

産業医を選任した事業者は、その事業場における産業医の業務の内容その他の産業医の業務に関する以下の事項を、常時各作業場の見やすい場所に掲示し、又は備え付けることその他の厚生労働省令で定める方法により、労働者に周知させなければならない（常用使用労働者数**50人未満**の事業場は**努力義務**）。 R3-10B

（法101条2項、3項）

(1) 事業場における産業医の業務の具体的な内容

(2) 産業医に対する健康相談の申出の方法

(3) 産業医による労働者の心身の状態に関する情報の取扱いの方法

（則98条の2,2項）

小規模事業場又は危険有害作業における安全衛生管理体制

❶ 安全衛生推進者・衛生推進者
（法12条の2、則12条の2） 重要度 **A**

★★★

事業者は、**安全管理者**の選任を要する事業場及び**衛生管理者**の選任を要する事業場**以外**の事業場で、**使用する労働者の数**が**常時10人以上50人未満**の事業場ごとに、**安全衛生推進者**（安全管理者の選任を要する業種以外の業種の事業場にあっては、**衛生推進者**）を選任し、その者に**総括安全衛生管理者**が**統括管理**する業務（救護技術管理者を選任した場合においては、**労働者の救護に関する措置**に該当するものを**除く**ものとし、安全管理者の選任を要する**業種以外**の業種の**事業場**にあっては、**衛生**に係る**業務**に限る。）を担当させなければならない。

▌Check Point!

☐ 安全衛生推進者（衛生推進者）を労働安全コンサルタント又は労働衛生コンサルタント等から選任する場合には、当該事業場に専属の者でなくとも差し支えない。

---

1. 安全衛生推進者等を選任すべき事業場

常時10人以上50人未満の労働者を使用する事業場である。この場合において、安全管理者の選任を要する業種の事業場にあっては**安全衛生推進者**を、それ以外の業種の事業場にあっては**衛生推進者**を選任しなければならない。

H29-9DE　R6-8E　（則12条の2）

2. 資格

安全衛生推進者又は衛生推進者の選任は、**都道府県労働局長**の**登録**を受けた者が行う**講習を修了**した者その他総括安全衛生管理者が統括管理する業務（衛生推進者にあっては、衛生に係る業務に限る。）を担当するため**必要な能力**を有すると認められる者のうちから行わなければならない。

（則12条の3,1項）

参考　**安全管理者**又は**衛生管理者**となる資格を有する者は、**2.資格**の講習の講習科目（安全衛生推進者に係るものに限る。）のうち厚生労働大臣が定めるものの免除を受けることができる。

（則12条の3,2項）

3.　業務

　安全衛生推進者又は衛生推進者には、総括安全衛生管理者が統括管理する業務（衛生推進者にあっては、衛生に係る業務に限る。）を担当させなければならない。

参考　安全衛生推進者又は衛生推進者は、具体的には、次のような業務を担当することになる。
　⑴施設、設備等（安全装置、労働衛生関係設備、保護具等を含む。）の点検及び使用状況の確認並びにこれらの結果に基づく必要な措置に関すること
　⑵作業環境の点検（作業環境測定を含む。）及び作業方法の点検並びにこれらの結果に基づく必要な措置に関すること
　⑶健康診断及び健康の保持増進のための措置に関すること
　⑷安全衛生教育に関すること
　⑸異常な事態における応急措置に関すること
　⑹労働災害の原因の調査及び再発防止対策に関すること
　⑺安全衛生情報の収集及び労働災害、疾病・休業等の統計の作成に関すること
　⑻関係行政機関に対する安全衛生に係る各種報告、届出等に関すること

（昭和63.9.16基発602号）

4.　専属の義務

　安全衛生推進者又は衛生推進者は、その事業場に専属の者を選任しなければならないが、以下の者のうちから選任するときは、その事業場に専属の者でなくてもよい。

　　①　**労働安全コンサルタント**

　　②　**労働衛生コンサルタント**

　　③　その他厚生労働大臣が定める者〔5年以上の安全衛生（衛生）の実務経験を有する安全管理者又は衛生管理者の有資格者等〕

（則12条の3,1項2号、平成21年厚労告122号）

5.　専任の義務

　安全衛生推進者又は衛生推進者について専任の者を選任する旨の規定はない。

6.　報告等

　事業者は、安全衛生推進者又は衛生推進者を選任すべき事由が発生した日から**14日以内**に**選任**しなければならないが、**選任報告の義務はない。**

　ただし、事業者は、安全衛生推進者又は衛生推進者を選任したときは、当該安全衛生推進者又は衛生推進者の氏名を作業場の見やすい箇所に掲示する等により**関係労働者に周知**させなければならない。

（則12条の3,1項1号、則12条の4）

7．代理者

安全衛生推進者又は衛生推進者について代理者を選任する旨の規定はない。

8．勧告・命令等

安全衛生推進者又は衛生推進者に関する都道府県労働局長の勧告や労働基準監督署長の増員・解任命令などの規定はない。

問題チェック H15-10B

労働安全衛生法第12条の２の規定による安全衛生推進者の選任に当たっては、その事業場に専属の者を選任しなければならないが、労働安全コンサルタント又は労働衛生コンサルタントから選任する場合には、当該事業場に専属の者でなくとも差し支えない。

解答 ○　　　　　　　　　　　　　　　　　法12条の２、則12条の3,1項２号

設問のように、労働安全コンサルタント又は労働衛生コンサルタントから選任する場合には、当該事業場に専属の者でなくとも差し支えないとされている。

なお、安全管理者（衛生管理者）の場合は、２人以上の安全管理者（衛生管理者）を選任する場合に、労働安全（衛生）コンサルタントがいるときは、そのコンサルタントのうち１人については、専属の者でなくとも差し支えないとされている。

---

❷ 作業主任者（法14条、法77条1項、3項）　Ａ

★★★

事業者は、高圧室内作業その他の**労働災害を防止**するための**管理を**必要とする作業で、政令で定めるものについては、**都道府県労働局長の免許**を受けた者又は**都道府県労働局長の登録**を受けた者（**登録教習機関**）が行う**技能講習**を**修了**した者のうちから、当該**作業の区分**に応じて、**作業主任者**を選任し、その者に当該**作業**に**従事**する**労働者の指揮**その他の厚生労働省令で定める事項を行わせなければならない。

R4-9CE

┃Check Point!

□ 作業主任者については、14日以内の選任義務及び選任報告の義務は課さ

れていない（作業主任者の氏名等を関係労働者に周知する義務は課されている）。 R4-9D

1．選任作業

　一定の危険又は有害作業については、作業主任者を選任し、その者に労働者の指揮その他の事項を行わせなければならない。

　作業主任者については、**事業の規模にかかわりなく**、次に掲げるような**危険・有害作業**に労働者を従事させる場合に選任しなければならない。

(1)　一定の**高圧室内作業**

(2)　アセチレン溶接装置又はガス集合溶接装置を用いて行う金属の溶接、溶断又は加熱の作業

(3)　一定の**放射線業務**に係る作業

(4)　ボイラー（小型ボイラーを除く。）の取扱いの作業

(5)　木材加工用機械（丸のこ盤、帯のこ盤、かんな盤、面取り盤及びルーターに限るものとし、携帯用のものを除く。）を５台以上（当該機械のうちに自動送材車式帯のこ盤が含まれている場合には、３台以上）有する事業場において行う当該機械による作業 H29-10A

(6)　高さが２メートル以上のはい〔倉庫、上屋又は土場に積み重ねられた荷（小麦、大豆、鉱石等のばら物の荷を除く。）の集団をいう。〕のはい付け又ははい崩しの作業（荷役機械の運転者のみによって行われるものを除く。）

H29-10B

(7)　つり足場（ゴンドラのつり足場を除く。）、張出し足場又は高さが５メートル以上の構造の足場の組立て、解体又は変更の作業 H29-10C

(8)　動力により駆動されるプレス機械を５台以上有する事業場において行う当該機械による作業 H29-10D R6-8D

(9)　一定の特定化学物質を製造し、又は取り扱う作業（試験研究のため取り扱う作業を除く。） H29-10E R4-9AC

(10)　石綿等を取り扱う作業（試験研究のため取り扱う作業を除く。）又は石綿等を試験研究のため製造する作業若しくは**石綿分析用試料等**を製造する作業

(11)　鉛業務や四アルキル鉛等業務（遠隔操作によって行う隔離室におけるものを除く。）に係る作業　等

(令6条)

参考 （交替制で行われる作業における作業主任者の選任）
　　　交替制で行われる作業においては、作業主任者のうちでも、ボイラー取扱作業主任者、第１種圧力容器取扱作業主任者〔化学設備（労働安全衛生法施行令第15条第５号に掲げる

化学設備をいう。）に係る第１種圧力容器の取扱いの作業について選任された第１種圧力容器取扱作業主任者を除く。〕および乾燥設備作業主任者については、必ずしも各直ごとに選任させる必要はないが、他の作業主任者については、労働者を直接指揮する必要があるので各直ごとに選任させなければならないとされている。 R4-9A R6-8D

(昭和48.3.19基発145号)

2.　資格

作業主任者は、次の者のうちから選任しなければならない。 R4-9E

(1)　**都道府県労働局長の免許**を受けた者

(2)　**都道府県労働局長の登録を受けた者（登録教習機関）が行う技能講習を修了**した者

　なお、(1)または(2)のうちどちらが必要であるのかは、作業の区分に応じて、具体的に規定されている。主なものをあげると次のとおりである。

作業の区分	必要な資格
高圧室内作業	**高圧室内作業主任者免許**
アセチレン又はガス集合溶接作業	ガス溶接作業主任者免許
放射線業務に係る作業	エックス線作業主任者免許
ボイラーの取扱いの作業	伝熱面積やボイラーの種類に応じてボイラー技士免許・ボイラー取扱技能講習修了
５台以上の動力プレス機械を有する事業場での当該機械による作業	プレス機械作業主任者技能講習修了
石綿等の取扱いの作業	石綿作業主任者技能講習修了
鉛業務に係る作業	鉛作業主任者技能講習修了

(法14条、則16条、則別表第１)

3.　業務

作業主任者は、作業に従事する**労働者の指揮**のほか、一般的には次のような事項を行うことになる。

(1)　取り扱う機械及びその安全装置を点検すること

(2)　取り扱う機械及びその安全装置に異常を認めた場合は、直ちに必要な措置をとること

(3)　作業中、器具、工具等の使用状況を監視すること

参考 具体的には作業主任者の種類によって異なり、例えば、特定化学物質作業主任者の場合は、労働者が特定化学物質により汚染され、又はこれらを吸入しないように作業の方法を決定し労働者の指揮を行うこと、**局所排気装置**や除じん装置の**点検**を１月を超えない期間ごとに行うこと、保護具の使用状況を監視すること等が業務とされている。 R4-9B

(特化則28条)

4.　専属の義務

作業主任者について専属の者を選任する旨の規定はない。

5．専任の義務

作業主任者について専任の者を選任する旨の規定はない。

6．報告等

作業主任者については、14日以内の**選任義務や選任報告の義務は課されていない**。

ただし、事業者は、作業主任者を選任したときは、当該作業主任者の氏名及びその者に行なわせる事項を作業場の見やすい箇所に掲示する等により**関係労働者に周知**させなければならない。 R4-9D

(則18条)

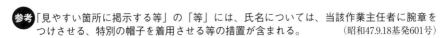

参考「見やすい箇所に掲示する等」の「等」には、氏名については、当該作業主任者に腕章をつけさせる、特別の帽子を着用させる等の措置が含まれる。 (昭和47.9.18基発601号)

7．代理者

作業主任者について代理者を選任する旨の規定はない。

8．勧告・命令等

作業主任者についての都道府県労働局長の勧告や労働基準監督署長の増員・解任命令などの規定はない。

委員会

❶ 安全委員会 重要度 A

1 設置規模及び調査審議事項（法17条1項） ★★★

> 　**事業者**は、政令で定める**業種**及び**規模**の**事業場ごと**に、次の事項を**調査審議**させ、**事業者**に対し**意見を述べさせる**ため、**安全委員会**を設けなければならない。 R4-10D
>
> i 　**労働者の危険を防止**するための**基本となるべき対策**に関すること。
>
> ii 　**労働災害の**原因**及び**再発防止対策で、**安全**に係るものに関すること。
>
> iii 　i ii に掲げるもののほか、**労働者の危険の防止**に関する**重要事項**

▌Check Point!▶

□ 安全委員会は、企業として１つ設置すればよいものではなく、事業場単位で設置するものである（衛生委員会及び安全衛生委員会も同様）。

・**設置規模**

　事業者は、事業場の業種の区分に応じて次表の人数以上の労働者を常時使用する場合は、安全委員会を設けなければならない。 R4-10B

業　種		使用労働者数
①	林業、鉱業、建設業、製造業のうち木材・木製品製造業、化学工業、鉄鋼業、金属製品製造業及び輸送用機械器具製造業、運送業のうち道路貨物運送業及び港湾運送業、自動車整備業、機械修理業並びに清掃業	常時**50人**以上
②	製造業（物の加工業を含み、①の業種を除く）、運送業（①の業種を除く）、電気業、ガス業、熱供給業、水道業、通信業、各種商品卸売業、家具・建具・じゅう器等卸売業、各種商品小売業、家具・建具・じゅう器小売業、燃料小売業、旅館業、ゴルフ場業 H29-9B	常時**100人**以上

（令8条）

参考 〔安全委員会の調査審議事項（付議事項）〕

上記ⅲの「労働者の危険の防止に関する重要事項」には、次の事項が含まれる。

(1)安全に関する規程の作成に関すること。

(2)法第28条の2第1項又は第57条の3第1項及び第2項の危険性又は有害性等の調査及びその結果に基づき講ずる措置のうち、安全に係るものに関すること。

(3)安全衛生に関する計画（安全に係る部分に限る。）の作成、実施、評価及び改善に関すること。

(4)安全教育の実施計画の作成に関すること。

(5)厚生労働大臣、都道府県労働局長、労働基準監督署長、労働基準監督官又は産業安全専門官から文書により命令、指示、勧告又は指導を受けた事項のうち、労働者の危険の防止に関すること。

(則21条)

2 委員会の構成 （法17条2項～5項） ★★★

Ⅰ　**安全委員会の委員**は、次の者をもって構成する。ただし、ⅰの委員は、**1人**とする。 R4-10D

　ⅰ　**総括安全衛生管理者又は総括安全衛生管理者以外の者**で当該**事業場**においてその**事業の実施**を**統括管理**するもの若しくはこれに準ずる者のうちから**事業者が指名**した者

　ⅱ　**安全管理者**のうちから**事業者が指名**した者

　ⅲ　当該**事業場**の**労働者**で、**安全**に関し**経験**を有するもののうちから**事業者が指名**した者

Ⅱ　**安全委員会**の**議長**は、Ⅰ**ⅰの委員**がなるものとする。

Ⅲ　**事業者**は、Ⅰ**ⅰの委員以外の委員の半数**については、当該**事業場**に**労働者の過半数**で組織する**労働組合**があるときにおいてはその**労働組合**、労働者の過半数で組織する**労働組合**がないときにおいては**労働者の過半数を代表する者の推薦**に基づき**指名**しなければならない。

Ⅳ　**ⅢⅢ**の規定は、当該**事業場**の**労働者の過半数**で組織する**労働組合**との間における**労働協約**に別段の定めがあるときは、その限度において適用しない。

・議長となるべき委員

上記Ⅰⅰの委員はⅡの規定により議長となるべきものであり、総括安全衛生管理者の選任対象事業場においては、総括安全衛生管理者でなければならない（総括安全衛生管理者以外の者を指名できるのは、総括安全衛生管理者の選任対象事業場以外の事業場においてである）。また、「これに準ずる者」とは、当該事業場

において事業の実施を統括管理する者以外の者で、その者に準じた地位にある者（例えば副所長、副工場長など）を指すものである。

（昭和47.9.18基発602号）

問題チェック H16-8E

労働安全衛生法においては、事業者は、安全委員会又は衛生委員会の委員の半数については、当該事業場に労働者の過半数で組織する労働組合があるときにおいてはその労働組合、労働者の過半数で組織する労働組合がないときにおいては労働者の過半数を代表する者の推薦に基づき指名しなければならない旨規定されている。

解答 ✕

法17条4項、法18条4項

「委員の半数」ではなく「議長となるべきものを除く委員の半数」について、事業者は過半数組織労働組合等の推薦に基づき指名しなければならないとされている。

❷ 衛生委員会（法18条）重要度 A

1 設置規模及び調査審議事項（法18条1項）　★★★

事業者は、政令で定める規模の事業場ごとに、次の事項を調査審議させ、事業者に対し意見を述べさせるため、衛生委員会を設けなければならない。

　　i　労働者の健康障害を防止するための基本となるべき対策に関すること。

　　ii　労働者の健康の保持増進を図るための基本となるべき対策に関すること。

　　iii　労働災害の原因及び再発防止対策で、衛生に係るものに関すること。

　　iv　iからiiiに掲げるもののほか、労働者の健康障害の防止及び健康の保持増進に関する重要事項

Check Point!

□　安全委員会を設けなければならない事業場においては、衛生委員会を設けなければならない。

☐ 衛生委員会の調査審議事項である「健康診断の結果」は、職場の健康管理対策に資することができる内容のものであればよく、受診者個々の健康診断結果は含まれない。

・設置規模

事業者は、**業種を問わず、常時50人以上の労働者を使用する事業場ごと**に衛生委員会を設けなければならない。 `H29-9B` `R4-10A`　　　　　　　　(令9条)

参考〔衛生委員会の調査審議事項（付議事項）〕

上記ivの「労働者の健康障害の防止及び健康の保持増進に関する重要事項」には、次の事項が含まれる。

(1)衛生に関する規程の作成に関すること。

(2)法第28条の2第1項又は第57条の3第1項及び第2項の危険性又は有害性等の調査及びその結果に基づき講ずる措置のうち、衛生に係るものに関すること。

(3)安全衛生に関する計画（衛生に係る部分に限る。）の作成、実施、評価及び改善に関すること。

(4)衛生教育の実施計画の作成に関すること。

(5)新規化学物質等の有害性の調査並びにその結果に対する対策の樹立に関すること。

(6)作業環境測定の結果及びその結果の評価に基づく対策の樹立に関すること。

(7)定期に行われる健康診断、法第66条第4項の規定による指示を受けて行われる臨時の健康診断、法第66条の2の自ら受けた健康診断及び法に基づく他の厚生労働省令の規定に基づいて行われる**医師の診断、診察又は処置の結果**並びにその**結果**に対する**対策の樹立**に関すること。

(8)労働者の健康の保持増進を図るため必要な措置の実施計画の作成に関すること。

(9)**長時間にわたる労働による労働者の健康障害の防止を図るための対策の樹立に関すること。**

(10)労働者の精神的健康の保持増進を図るための対策の樹立に関すること。

(11)則第577条の2第1項、第2項及び第8項（ばく露の程度の低減等）の規定により講ずる措置に関すること。

(12)則第577条の2第3項及び第4項の医師又は歯科医師による健康診断の実施に関すること

(13)厚生労働大臣、都道府県労働局長、労働基準監督署長、労働基準監督官又は労働衛生専門官から文書により命令、指示、勧告又は指導を受けた事項のうち、労働者の健康障害の防止に関すること。　　　　　　　　　　　　　　　　　(則22条)

2 委員会の構成 (法18条2項〜4項)　　　　★★★

I　衛生委員会の**委員**は、次の者をもって構成する。ただし、iの**委員は、1人**とする。`R4-10D`

　i　**総括安全衛生管理者**又は総括安全衛生管理者**以外**の者で当該**事業場**においてその**事業の実施**を**統括管理**するもの若しくはこれに準ずる者のうちから**事業者**が**指名**した者

ⅱ　衛生管理者のうちから**事業者**が**指名**した者

ⅲ　産業医のうちから**事業者**が**指名**した者

ⅳ　当該**事業場の労働者**で、衛生に関し**経験**を有するもののうちから**事業者**が**指名**した者

Ⅱ　**事業者**は、当該**事業場の労働者**で、**作業環境測定**を**実施**している**作業環境測定士**であるものを**衛生委員会**の委員として**指名すること**が**できる**。

Ⅲ　**衛生委員会の議長**は、Ⅰⅰの委員がなるものとする。

Ⅳ　**事業者**は、Ⅰⅰの委員以外の委員の半数については、当該**事業場**に**労働者の過半数**で組織する**労働組合**があるときにおいてはその**労働組合、労働者の過半数**で組織する**労働組合**がないときにおいては**労働者の過半数**を代表する者の推薦に基づき**指名**しなければならない。

Ⅴ　ⅢⅣの規定は、当該**事業場の労働者の過半数**で組織する**労働組合**との間における**労働協約**に別段の定めがあるときは、その限度において適用しない。

▌Check Point!

☐ 衛生委員会の構成員には、必ず産業医を加えなければならないこととされているが、その産業医は、必ずしもその事業場に専属の者である必要はない。

（昭和63.9.16基発601号の1）

☐ 事業者は、作業環境測定士を衛生委員会の委員として指名することができるが、必ず指名しなければならないわけではない。

---

❸ 安全衛生委員会 （法19条） 重要度 A

1 設置 （法19条1項）　★★★

　事業者は、第17条［**安全委員会**］及び第18条［**衛生委員会**］の規定により**安全委員会及び衛生委員会**を設けなければならないときは、それぞれの**委員会**の設置に代えて、**安全衛生委員会**を設置することができる。 H29-9B R4-10C

・調査審議事項

　安全衛生委員会の調査審議事項は、安全委員会と衛生委員会の調査審議事項のすべてとなる。

2 委員会の構成 (法19条2項〜4項) ★★★

Ⅰ　**安全衛生委員会**の**委員**は、次の者をもって構成する。ただし、ⅰの**委員**は、**1人**とする。

　ⅰ　**総括安全衛生管理者**又は**総括安全衛生管理者以外**の者で当該**事業場**においてその**事業の実施**を**統括管理**するもの若しくはこれに準ずる者のうちから**事業者が指名**した者

　ⅱ　**安全管理者及び衛生管理者**のうちから**事業者が指名**した者　R4-10E

　ⅲ　**産業医**のうちから**事業者が指名**した者　R4-10E

　ⅳ　当該**事業場の労働者**で、**安全**に関し**経験**を有するもののうちから**事業者が指名**した者

　ⅴ　当該**事業場の労働者**で、**衛生**に関し**経験**を有するもののうちから**事業者が指名**した者

Ⅱ　**事業者**は、当該**事業場の労働者**で、**作業環境測定**を実施している**作業環境測定士**であるものを**安全衛生委員会の委員**として**指名することができる。**

Ⅲ　**安全衛生委員会の議長**は、Ⅰⅰの**委員**がなるものとする。

Ⅳ　**事業者**は、Ⅰⅰの**委員以外**の**委員の半数**について、当該**事業場**に**労働者の過半数**で組織する**労働組合**があるときにおいてはその**労働組合**、**労働者の過半数**で組織する**労働組合**がないときにおいては**労働者の過半数を代表する者**の推薦に基づき**指名しなければならない。**

Ⅴ　**ⅢⅣ**の規定は、当該**事業場の労働者の過半数**で**組織する労働組合**との間における**労働協約**に別段の定めがあるときは、その限度において適用しない。

・委員

　安全衛生委員会の委員は、安全委員会の委員と衛生委員会の委員を合わせたも

のである。

問題チェック H21-8C

安全衛生委員会の構成員の総数については、事業場の規模、作業の実態等に応じ定められていて、事業者が適宜に決めることはできない。

解答 ✕ 法19条、昭和41.1.22基発46号

安全委員会（衛生委員会・安全衛生委員会）の構成員の員数については、事業場の規模、作業の実態に即し、適宜に決定すべきものであるとされている。

---

❹ 委員会の運営（則23条1項、3項、4項）重要度 A

★★★

> I　**事業者**は、**安全委員会、衛生委員会**又は**安全衛生委員会**（以下「**委員会**」という。）を**毎月1回以上開催**するようにしなければならない。
>
> II　**事業者**は、**委員会の開催の都度、遅滞なく、委員会**における**議事**の**概要**を次に掲げるいずれかの方法によって**労働者に周知**させなければならない。
>
> i　**常時各作業場の見やすい場所**に掲示し、又は**備え付ける**こと。
>
> ii　**書面を労働者**に**交付**すること。
>
> iii　事業者の使用に係る**電子計算機に備えられたファイル**又は**電磁的記録媒体**（電磁的記録に係る記録媒体をいう。以下同じ。）をもって調製するファイルに記録し、かつ、**各作業場に労働者**が当該**記録の内容**を**常時確認できる機器を設置**すること。
>
> III　事業者は、委員会の**開催の都度**、次に掲げる事項を記録し、これを**3年間保存**しなければならない。
>
> i　委員会の意見及び当該意見を踏まえて講じた措置の内容
>
> ii　i に掲げるもののほか、委員会における議事で重要なもの
>
> IV　**産業医**は、衛生委員会又は安全衛生委員会に対して**労働者の健康を確保する観点**から必要な**調査審議**を求めることができる。

■**Check Point!**

☐ 委員会の運営については、①毎月１回以上開催すること、②議事の概要を労働者に周知させること、③委員会における議事の重要事項を記録し、3年間保存することが義務付けられている。

☐ 委員会の開催状況等を行政機関に報告する必要はない。

参考（関係労働者の意見の聴取）
委員会を設けている事業者以外の事業者は、安全又は衛生に関する事項について、関係労働者の意見を聴くための機会を設けるようにしなければならない。
（則23条の２）

第2章 第2節

建設業等における安全衛生管理体制等

建設業等における安全衛生管理体制

❶ 概要 重要度 B

★★

　建設業等の重層下請負構造の下で作業が行われる場所においては、同一の場所で異なる事業者の労働者が作業を行うこととなる。このような混在作業に起因する労働災害を防止するために、第1節「**全産業の安全衛生管理体制**」とは別に、当該場所で作業を行う事業者すべてを包含するその場所全体の安全衛生管理体制を設けなければならないこととされている。

▌Check Point!

☐ 統括安全衛生責任者等及び店社安全衛生管理者の選任規模

種類 ＼ 常時使用労働者数		20人 ▼	30人 ▼	50人 ▼
建設業	・ずい道等の建設の仕事 ・一定の橋梁の建設の仕事 ・圧気工法による作業の仕事		店社安全 衛生管理者	統括安全衛生責任者 元方安全衛生管理者 安全衛生責任者
	・鉄骨造又は鉄骨鉄筋コンクリート造の建築物の建設の仕事			
	・その他の建設業			
造船業		選任なし※		統括安全衛生責任者 安全衛生責任者

　※　統括安全衛生責任者等及び店社安全衛生管理者の選任は不要である。

大規模作業の安全衛生管理体制

① 概要 _{重要度}B ★★

大規模作業の安全衛生管理体制は次図のとおりとなる。

```
                    特定元方事業者
         ┌──────────┬──────────────┐
       選任         選任        設置・運営
         │            ▼              │
         │      統括安全衛生責任者        │
         │    指揮 │      設置・運営      │
         │         │     （統括管理）     │
         ▼         ▼          ▼         ▼
  元方安全衛生管理者        │      協議組織
  （建設業のみ選任義務あり）   │         ▲
                          │        協議
                       連絡等      │
                          │     関係請負人
                          │        │
                          │      選任
                          ▼        ▼
                    安全衛生責任者
```

② 統括安全衛生責任者
（法15条1項、2項、5項、令7条1項）_{重要度}A ★★★

Ⅰ　**事業者**で、**一の場所**において行う事業の**仕事の一部**を請負人に請け負わせているもの[※1]（以下「**元方事業者**」という。）のうち、建設業及び造船業（以下「**特定事業**」という。）を行う者（以下「**特定元方事業者**」という。）は、その**労働者**及びその**請負人**[※2]（以下「**関係請負人**」という。）の**労働者**が当該場所において作業を行うときは、これらの**労働者の作業**が**同一の場所**において行われることによって生ずる**労働災害を防止**するため、**統括安全衛生責任者**を**選任**

し、**その者**に元方安全衛生管理者の**指揮**をさせるとともに、第30条第1項各号の事項［**特定元方事業者の講ずべき措置**］を**統括管理**させなければならない。ただし、これらの労働者の数が政令で定める数未満であるときは、この限りでない。 R元-8B

※1　当該事業の仕事の一部を請け負わせる契約が2以上あるため、その者が2以上あることとなるときは、当該請負契約のうちの最も先次の請負契約における注文者とする。 R元-8D

※2　元方事業者の当該事業の仕事が数次の請負契約によって行われるときは、当該請負人の請負契約の後次のすべての請負契約の当事者である請負人を含む。 R元-8AC

Ⅱ　統括安全衛生責任者は、当該場所においてその**事業の実施**を統括管理する者をもって充てなければならない。

Ⅲ　都道府県労働局長は、**労働災害**を**防止**するため**必要がある**と認めるときは、**統括安全衛生責任者**の**業務の執行**について当該**統括安全衛生責任者**を**選任**した**事業者**に勧告することができる。

Check Point!

□　特定元方事業者とは、発注者から工事などを請け負った建設業及び造船業（特定事業）を行う者をいう。

1. 統括安全衛生責任者を選任すべき事業場

特定元方事業者であって、**同一の作業場所において関係請負人の労働者を含めて**常時次表に掲げる人数以上の労働者を作業に従事させるものは、その工事現場の安全衛生を統括管理する者として統括安全衛生責任者を選任しなければならない。 R元-8B

仕事の区分	従事労働者数
①　ずい道等の建設の仕事 ②　橋梁の建設の仕事（作業場所が狭いこと等により安全な作業の遂行が損なわれるおそれのある一定の場所での仕事に限る） ③　圧気工法による作業を行う仕事	常時**30人**以上
上記以外の建設業及び造船業の仕事 R4-8A	常時**50人**以上

(令7条2項)

2．資格

統括安全衛生責任者は、当該場所においてその事業の実施を**統括管理**する者をもって充てなければならない。

3．業務

統括安全衛生責任者は、**元方安全衛生管理者の指揮**をするとともに、**次の事項**※**を統括管理**しなければならない。

(1) 協議組織の設置及び運営

(2) 作業間の連絡及び調整

(3) **作業場所の巡視**

(4) 関係請負人が行う労働者の安全・衛生教育に対する指導及び援助

(5) 建設業の特定元方事業者にあっては、仕事の工程に関する計画及び作業場所における機械、設備等の配置に関する計画の作成及び当該機械、設備等を使用する作業に関し関係請負人が労働安全衛生法又は同法に基づく命令の規定に基づき講ずべき措置についての指導

(6) その他特定元方事業者の労働者及び関係請負人の労働者の作業が同一の場所において行われることによって生ずる労働災害を防止するため必要な事項

※ 第3節 **2 3**「**特定元方事業者の講ずべき措置**」と同様である。

（法30条1項、則638条の2）

4．専属の義務

統括安全衛生責任者について専属の者を選任する旨の規定はない。

5．専任の義務

統括安全衛生責任者について専任の者を選任する旨の規定はない。

6．報告

特定元方事業者は、統括安全衛生責任者を選任しなければならないときは、作業の開始後、**遅滞なく**、その旨及び統括安全衛生責任者の氏名を作業の場所を管轄する**労働基準監督署長**に報告しなければならない。

（則664条1項3号）

7．代理者

特定元方事業者は、統括安全衛生責任者が旅行、疾病、事故その他やむを得ない事由によって職務を行なうことができないときは、**代理者を選任しなければならない**。

（則20条）

8.　勧告

　都道府県労働局長は、労働災害を防止するため必要があると認めるときは、統括安全衛生責任者の業務の執行について当該統括安全衛生責任者を選任した**事業者**に**勧告**することができる。

参考 8.の「勧告」は、一の場所において行われている仕事の労働災害発生率が他の同業種、同規模の仕事と比べて高く、それが統括安全衛生責任者の不適切な業務執行に基づくものであると考えられる場合等に行われる。　　　　（法10条3項、法15条5項、昭和53.2.10基発77号）

❸ 元方安全衛生管理者（法15条の2）重要度 A　★★★

　Ⅰ　**統括安全衛生責任者**を**選任**した**事業者**で、**建設業その他政令で定める業種**に属する事業を行うものは、厚生労働省令で定める**資格を有する者**のうちから、**元方安全衛生管理者**を選任し、その者に第30条第1項各号の事項［**統括安全衛生責任者が統括管理する事項**］のうち**技術的事項**を**管理**させなければならない。

　Ⅱ　**労働基準監督署長**は、**労働災害**を**防止**するため必要があると認めるときは、当該**元方安全衛生管理者**を選任した**事業者**に対し、**元方安全衛生管理者の増員又は解任**を**命ずる**ことができる。

▌Check Point!▐

　□　造船業を行う事業者には元方安全衛生管理者の選任義務は課されていない。

1.　元方安全衛生管理者を選任すべき事業場

　現在のところ、上記Ⅰの「政令で定める業種」は定められていない。したがって、**統括安全衛生責任者を選任した事業者のうち、建設業を行う事業者**（元方事業者）が統括安全衛生責任者を補佐しその業務の技術的事項を管理する者として元方安全衛生管理者を選任しなければならないことになる。 R4-8B

2.　資格

　元方安全衛生管理者は、原則として次のいずれかの資格を有する者でなければならない。

（1）　学校教育法による**大学又は高等専門学校**における**理科系統**の正規の課程を修めて卒業した者で、その後**3年以上**建設工事の施工における**安全衛生の実**

務に従事した経験を有するもの

(2)　学校教育法による**高等学校又は中等教育学校**において**理科系統**の正規の学科を修めて卒業した者で、その後**5年以上**建設工事の施工における**安全衛生の実務に従事**した経験を有するもの

(3)　その他厚生労働大臣が定める者　　　　　　　　　　　(則18条の4)

3．業務

　元方安全衛生管理者は、統括安全衛生責任者が統括管理する事項のうち技術的事項を管理しなければならない。

参考 **3.**の「技術的事項」とは、統括安全衛生責任者が統括管理すべき事項のうち安全又は衛生に関する具体的事項をいうものであり、専門技術的事項に限る趣旨のものではない。

(昭和55.11.25基発647号)

4．専属の義務

　元方安全衛生管理者は、その事業場に**専属の者**を選任しなければならない。

(則18条の3)

5．専任の義務

　元方安全衛生管理者について専任の者を選任する旨の規定はない。

6．報告

　特定元方事業者は、元方安全衛生管理者を選任しなければならないときは、作業の開始後、**遅滞なく**、その旨及び元方安全衛生管理者の氏名を作業の場所を管轄する**労働基準監督署長**に**報告**しなければならない。　　　　(則664条1項4号)

7．代理者

　特定元方事業者は、元方安全衛生管理者が旅行、疾病、事故その他やむを得ない事由によって職務を行うことができないときは、**代理者を選任**しなければならない。

(則20条)

8．増員・解任命令

　労働基準監督署長は、労働災害を防止するため必要があると認めるときは、当該元方安全衛生管理者を選任した**事業者**に対し、元方安全衛生管理者の**増員又は解任を命ずる**ことができる。　　　　　　　(法11条2項、法15条の2,2項)

❹ 安全衛生責任者 (法16条) 重要度 A

★★★

> Ⅰ　**統括安全衛生責任者**が**選任**された場合において、**統括安全衛生責任者を選任すべき事業者以外**の**請負人**で、当該**仕事を自ら行うもの**は、**安全衛生責任者**を選任し、その者に**統括安全衛生責任者**との連絡その他の厚生労働省令で定める事項を行わせなければならない。
>
> Ⅱ　**安全衛生責任者**を**選任**した**請負人**は、**統括安全衛生責任者**を選任した**事業者**に対し、**遅滞なく**、その旨を**通報**しなければならない。

▌Check Point!

☐ 都道府県労働局長の勧告や労働基準監督署長の増員・解任命令の規定はない。

☐ 安全衛生責任者の選任について、所轄労働基準監督署長への報告義務は課されていない。

1. 選任

統括安全衛生責任者が選任された場合において、統括安全衛生責任者を選任すべき事業者以外の請負人で、その場所で当該仕事を自ら行うものは、安全衛生責任者を選任しなければならない。 R元-8C

2. 資格

特段の資格や免許や経験等を有する必要はない。

3. 業務

安全衛生責任者の業務のうち主な内容をあげると次のとおりである。

(1) 統括安全衛生責任者との**連絡**

(2) 統括安全衛生責任者から連絡を受けた事項の関係者への**連絡**

(3) 当該請負人がその仕事の一部を他の請負人に請け負わせている場合における当該他の請負人の安全衛生責任者との**作業間の連絡及び調整**　　　(則19条)

4. 専属の義務

安全衛生責任者について専属の者を選任する旨の規定はない。

5. 専任の義務

安全衛生責任者について専任の者を選任する旨の規定はない。

6．報告等

　所轄労働基準監督署長への**報告義務は課せられていない**が、安全衛生責任者を選任した請負人は、統括安全衛生責任者を選任した事業者に対し、**遅滞なく**、その旨を**通報**しなければならない。

7．代理者

　事業者は、安全衛生責任者が旅行、疾病、事故その他やむを得ない事由によって職務を行なうことができないときは、**代理者を選任しなければならない**。

（則20条）

8．勧告・命令等

　安全衛生責任者についての都道府県労働局長の勧告や労働基準監督署長の増員・解任命令などの規定はない。

3 小規模作業の安全衛生管理体制

① 概要 重要度 B　★★

　　小規模のずい道等の工事現場等においては、次図のような安全衛生管理体制となる。

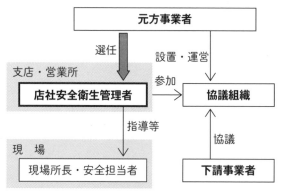

② 店社安全衛生管理者（法15条の3）重要度 B　★★

　　建設業に属する事業の元方事業者は、**その労働者**及び**関係請負人の労働者**が**一の場所**（これらの労働者の数が厚生労働省令で定める数未満である場所及び**統括安全衛生責任者**を**選任**しなければならない場所を**除く**。）において**作業**を行うときは、当該場所において行われる**仕事**に係る**請負契約**を**締結**している**事業場ごと**に、これらの**労働者の作業**が**同一の場所**で行われることによって生ずる**労働災害を防止**するため、厚生労働省令で定める**資格を有する者**のうちから、**店社安全衛生管理者を選任**し、その者に、当該**事業場**で**締結**している当該**請負契約に係る仕事**を行う場所における第30条第1項各号の事項［**特定元方事業者の講ずべき措置**］を**担当**する者に対する**指導**その他厚生労働省令で定める事項を行わせなければならない。

58

┃**Check Point!**▶

□ 店社安全衛生管理者は、少なくとも毎月1回作業を行う場所を巡視しな
　ければならない。

1．店社安全衛生管理者を選任すべき事業場

　店社安全衛生管理者の選任を要するのは、統括安全衛生責任者及び元方安全衛
生管理者を選任していない場所で、当該場所で常時作業に従事する関係請負人の
労働者を含めた労働者の数が、次表の仕事の区分に応じ、次表に掲げる人数であ
る場合である。 `R4-8C`

（則18条の6）

仕事の区分	従事労働者数
① ずい道等の建設の仕事 ② 橋梁の建設の仕事（作業場所が狭いこと等により安全な作業の遂行が損なわれるおそれのある一定の場所での仕事に限る） ③ 圧気工法による作業を行う仕事	常時20人以上30人未満
主要構造部が鉄骨造又は鉄骨鉄筋コンクリート造である建築物の建設の仕事	常時20人以上50人未満

2．資格

　店社安全衛生管理者は、原則として次の資格を有する者のうちから選任しなけ
ればならない。

⑴　学校教育法による**大学又は高等専門学校**を卒業した者で、その後**3年以上**
　建設工事の施工における**安全衛生の実務**に従事した経験を有するもの

⑵　学校教育法による**高等学校又は中等教育学校**を卒業した者で、その後**5年
　以上**建設工事の施工における**安全衛生の実務に従事**した経験を有するもの

⑶　**8年以上**建設工事の施工における**安全衛生の実務に従事**した経験を有する
　もの

⑷　⑴から⑶に掲げる者のほか、厚生労働大臣が定める者（現在のところ定め
　なし）

（則18条の7）

3．業務

　店社安全衛生管理者は、作業を行う場所（その事業場で締結している請負契約
に係る仕事を行う場所）における第30条第1項各号の事項を担当する者（例え
ば、現場所長、工事主任または専任の安全担当者等が考えられる。）を指導する

ほか、次の事項を行わなければならない。

(1) **少なくとも毎月1回作業を行う場所を巡視**すること。

(2) 労働者の作業の種類その他作業の実施の状況を把握すること。

(3) 協議組織の会議に随時参加すること。

(4) 機械、設備等を使用する作業に関し関係請負人が講ずべき措置が講ぜられ
ていることについて確認すること。

(則18条の8)

教育及び援助

① 安全管理者等に対する教育等 （法19条の2） 重要度 B

★★

Ⅰ　事業者は、**事業場**における**安全衛生の水準の向上を図るため、安全管理者、衛生管理者、安全衛生推進者、衛生推進者**その他**労働災害の防止のための業務に従事する者**に対し、これらの者が**従事する業務**に関する**能力の向上を図るための教育、講習等**を行い、又はこれらを受ける機会を与えるように**努め**なければならない。

Ⅱ　**厚生労働大臣**は、Ⅰの**教育、講習等**の適切かつ有効な実施を図るため必要な**指針**を公表するものとする。

Ⅲ　**厚生労働大臣**は、Ⅱの**指針**に従い、**事業者**又はその**団体**に対し、**必要な指導等**を行うことができる。

② 国の援助 （法13条の2,1項、法19条の3） 重要度 B

★★

Ⅰ　**事業者**は、第13条第1項の事業場以外の事業場 ［**産業医の選任が義務付けられていない事業場**］ については、**労働者の健康管理等**を行うのに必要な**医学**に関する**知識**を有する**医師**その他労働者の健康管理等を行うのに必要な知識を有する保健師に**労働者の健康管理等**の**全部又は一部**を行わせるように**努め**なければならない。

Ⅱ　**国**は、Ⅰの事業場の**労働者の健康の確保**に資するため、**労働者の健康管理等**に関する相談、情報の提供その他の**必要な援助**を行うように**努める**ものとする。

趣旨

　平成8年の法改正により、常時使用する労働者数が50人未満の産業医の選任義務のない事業場の事業者に対して、労働者の健康管理等についての努

力義務が課された（上記Ⅰ）。これに対して、国としても、これらの事業場で労働者の健康管理等が促進されるよう労働者の健康管理に関する相談、情報の提供、その他必要な援助を行うように努めるものとされた（上記Ⅱ）。

第2章 第3節

危険・健康障害の防止措置

事業者の講ずべき措置

❶ 危険防止措置

（法20条、法21条、法25条） 重要度 B ★★

Ⅰ　事業者は、次の危険を防止するため**必要な措置**を**講じなければならない**。 R2-9E

　ⅰ　**機械、器具**その他の**設備**（以下「**機械等**」という。）による**危険**

　ⅱ　**爆発性の物、発火性の物、引火性の物**等による**危険**

　ⅲ　**電気、熱**その他の**エネルギー**による**危険**

Ⅱ　事業者は、**掘削、採石、荷役、伐木**等の業務における**作業方法から生ずる危険**を防止するため**必要な措置**を**講じなければならない**。

Ⅲ　事業者は、**労働者が墜落するおそれ**のある**場所、土砂等が崩壊するおそれ**のある**場所等**に係る**危険**を防止するため**必要な措置**を**講じなければならない**。 R2-選E

Ⅳ　事業者は、**労働災害発生の急迫した危険**があるときは、**直ちに作業を中止**し、**労働者を作業場から退避させる**等**必要な措置**を**講じなければならない**。

参考（一人親方等に対する適用）

令和３年５月に出された石綿作業従事者等による国家賠償請求訴訟（建設アスベスト訴訟）の最高裁判決を踏まえて安衛法第22条［健康障害防止措置］に基づく省令が改正されたが（後記❷の参考参照）、上記ⅠからⅣ［危険防止措置］に基づく省令（場所の管理権原に基づく立入禁止や退避等に係るものに限る。）についても、労働者と同じ場所で作業を行う労働者以外の一人親方等に対しても労働者と同等の保護措置を講じることを事業者に義務付ける改正が行われた（令和７年４月１日施行）。 改正

（昇降するための設備の設置）

事業者は、高さ又は深さが**1.5メートルを超える箇所**で作業を行なうときは、当該作業に従事する労働者が安全に昇降するための設備等を設けなければならない。ただし、安全に昇降するための設備等を設けることが作業の性質上著しく困難なときは、この限りでない。

R2-選E （則526条１項）

❷ 健康障害防止措置（法22条）重要度 B

★★

　事業者は、次の**健康障害を防止**するため**必要な措置を講じなければ
ならない**。
- i 　原材料、**ガス**、**蒸気**、**粉じん**、**酸素欠乏空気**、病原体**等**による
　　　健康障害
- ii 　**放射線**、**高温**、**低温**、**超音波**、**騒音**、**振動**、**異常気圧等**による
　　　健康障害
- iii 　**計器監視**、**精密工作等**の作業による**健康障害**
- iv 　**排気**、**排液又は残さい物**による**健康障害**

参考（一人親方等に対する適用）
令和3年5月に出された石綿作業従事者等による国家賠償請求訴訟（建設アスベスト訴
訟）の最高裁判決において、「有害物等による健康障害の防止措置を事業者に義務付ける
安衛法第22条の規定は、労働者と同じ場所で働く労働者以外の者も保護する趣旨である」
との判断がなされたことを踏まえ、同規定に基づく省令について、請負人や同じ場所で作
業を行う労働者以外の一人親方等に対しても労働者と同等の保護措置を講じることを事業
者に義務付ける改正が行われた（令和5年4月1日施行）。

❸ 健康保持等の措置（法23条）重要度 B

★★

　事業者は、労働者を**就業させる建設物その他の作業場**について、**通
路**、**床面**、**階段等の保全並びに換気**、**採光**、**照明**、**保温**、**防湿**、**休養**、
避難及び清潔に必要な措置その他**労働者の健康**、**風紀及び生命の保持**
のため必要な措置を**講じなければならない**。

❹ 労働災害防止措置（法24条）重要度 B

★★

　事業者は、労働者の**作業行動**から生ずる**労働災害を防止**するため**必
要な措置を講じなければならない**。 R元-8E

❺ 重大事故発生時の安全確保措置
（法25条の2、令9条の2）重要度 **B**

★★

Ⅰ　ずい道等の建設の仕事で一定のもの又は**圧気工法による作業**を行う仕事で一定のものを行う**事業者**は、爆発、**火災等**が生じたことに伴い**労働者の救護**に関する措置がとられる場合における**労働災害の発生**を**防止**するため、次の措置を**講じなければならない**。

　　ⅰ　**労働者の救護**に関し**必要な機械等の備付け及び管理**を行うこと。

　　ⅱ　**労働者の救護**に関し**必要な事項**についての訓練を行うこと。

　　ⅲ　ⅰ ⅱのほか、**爆発**、**火災等**に備えて、**労働者の救護**に関し必要な事項を行うこと。

Ⅱ　Ⅰの**事業者**は、厚生労働省令で定める**資格を有する者**のうちから、Ⅰ ⅰからⅲの措置のうち**技術的事項を管理する者**を選任し、その者に当該**技術的事項**を**管理**させなければならない。

---

❻ 技術上の指針の公表（法28条1項、2項）重要度 **B**

★★

Ⅰ　**厚生労働大臣**は、第20条から第25条まで及び第25条の2第1項の規定により**事業者が講ずべき措置**の適切かつ有効な実施を図るため**必要な業種又は作業**ごとの**技術上の指針**を**公表する**ものとする。

Ⅱ　**厚生労働大臣**は、Ⅰの**技術上の指針**を定めるに当たっては、**中高年齢者**に関して、**特に配慮する**ものとする。

元方事業者の
講ずべき措置

❶ 元方事業者の講ずべき措置（法29条）重要度 A

★★★

Ⅰ **元方事業者**は、**関係請負人及び関係請負人の労働者**が、当該**仕事**に関し、労働安全衛生法又は同法に基づく命令の規定に**違反**しないよう**必要な指導**を**行なわなければならない**。 R4-8E

Ⅱ **元方事業者**は、**関係請負人又は関係請負人の労働者**が、当該**仕事**に関し、労働安全衛生法又は同法に基づく**命令の規定に違反**していると認めるときは、**是正のため必要な指示**を**行なわなければならない**。 R元-8D

Ⅲ Ⅱの**指示**を受けた**関係請負人又はその労働者**は、当該指示に**従わなければならない**。

趣旨

法第29条は、一定の場所において当該事業遂行の全般について責任と権限を有している**元方事業者**（業種は問わない）に、関係請負人及びその労働者に対する本法の遵守に関する指導、指示義務を課したものである。

Check Point!

□ 本条違反については罰則の定めはない。

❷ 建設業の元方事業者の講ずべき措置
（法29条の2、則634条の2）重要度 A

★★★

建設業に属する事業の**元方事業者**は、**土砂等が崩壊するおそれ**のある場所（**関係請負人の労働者**に危険が及ぶおそれのある場所に**限る**。）、**機械等が転倒するおそれ**のある場所（**関係請負人の労働者**が用いる車

両系建設機械のうち一定のもの又は移動式クレーンが転倒するおそれのある場所に限る。）その他の厚生労働省令で定める場所（**土石流が発生するおそれ**のある一定の場所等）において**関係請負人の労働者**が当該事業の仕事の作業を行うときは、当該**関係請負人**が講ずべき当該場所に係る**危険を防止**するための措置が**適正に講ぜられる**ように、技術上の指導その他の**必要な措置を講じなければならない。**

❸ 特定元方事業者の講ずべき措置
（法30条1項、則638条の2）[重要度 A]

　特定元方事業者は、その**労働者及び関係請負人の労働者の作業**が同一の場所において行われることによって生ずる**労働災害を防止**するため、次の事項に関する**必要な措置を講じなければならない。**

　i　**協議組織の設置及び運営**を行うこと。 R元-8A

　ii　**作業間の連絡及び調整**を行うこと。

　iii　**作業場所**を巡視すること。

　iv　関係請負人が行う**労働者の安全又は衛生**のための教育に対する**指導及び援助**を行うこと。

　v　**仕事を行う場所が仕事ごとに異なる**ことを**常態とする業種**で、厚生労働省令で定めるもの（建設業）に属する事業を行う**特定元方事業者**にあっては、**仕事の工程に関する計画及び作業場所**における**機械、設備等の配置に関する計画を作成**するとともに、当該**機械、設備等**を使用する作業に関し**関係請負人**が労働安全衛生法又は同法に基づく命令の規定に基づき**講ずべき措置**についての指導を行うこと。

　vi　iからvに掲げるもののほか、当該**労働災害を防止**するため**必要な事項**

┃Check Point!▶

□　造船業の特定元方事業者は、上記vの措置を講じなくてもよい。

---

1. 作業場所の巡視

特定元方事業者は、上記ⅲの「作業場所の**巡視**」については、**毎作業日に少なくとも1回**、これを行なわなければならない。 H27-8C

(則637条1項)

2. 労働災害を防止するため必要な事項

上記ⅵの「労働災害を防止するため必要な事項」とは、次のとおりである。

(1) クレーン等の運転についての**合図の統一**

(2) 事故現場等の**標識の統一**等

(3) 有機溶剤等の**容器の集積箇所の統一**

(4) **警報の統一**等

(5) 避難等の**訓練の実施方法等の統一**等 (則639条～則642条の2の2)

参考（協議組織の設置及び運営）

1. 特定元方事業者は、前記ⅰの協議組織の設置及び運営については、次に定めるところによらなければならない。

(1)特定元方事業者及び**すべての関係請負人**が参加する協議組織を設置すること。 R4-8D

(2)当該協議組織の会議を定期的に開催すること。

2. 関係請負人は、1.の規定により特定元方事業者が設置する協議組織に参加しなければならない。 R元-8A (則635条)

（教育に対する指導及び援助）

特定元方事業者は、上記ⅳの教育に対する指導及び援助については、当該教育を行なう場所の提供、当該教育に使用する資料の提供等の措置を講じなければならない。 (則638条)

問題チェック H20-10E

特定元方事業者が講ずべき措置の事項として、労働安全衛生法第30条第1項第4号は、「関係請負人が行う労働者の安全又は衛生のための**教育に対する指導及び援助を行うこと**」と規定しており、関係請負人である事業者は、労働安全衛生法第59条第2項の規定に基づいて、作業内容を変更したときの安全又は衛生のための教育を行う必要はない。

解答 ✕ 法30条1項4号、法59条2項

特定元方事業者は、当該安全又は衛生のための教育に対する指導及び援助に関する必要な措置を講じなければならないとされているのであり、関係請負人の労働者に対して安全又は衛生のための教育を行うこととされているのではない。したがって、関係請負人である事業者は、設問の安全又は衛生のための教育を行わなければならない。

第2章 第3節

❹ 製造業の元方事業者の講ずべき措置
（法30条の2,1項）重要度 A

★★★

　製造業その他政令で定める業種に属する事業（特定事業を除く。）の元方事業者は、その労働者及び関係請負人の労働者の作業が同一の場所において行われることによって生ずる労働災害を防止するため、作業間の連絡及び調整を行うことに関する措置その他必要な措置を講じなければならない。

1. 政令で定める業種

　法第30条の2第1項の「政令で定める業種」については、現在その政令が定められていないので、上記は「**製造業（造船業を除く。）の元方事業者**」のみに適用される。なお、上記は法第30条第1項［特定元方事業者の講ずべき措置］の適用を受ける造船業を除いた製造業を対象とした規定であるので、特定事業のうち建設業はここでは関係ない。

2. 講ずべき措置

　製造業（造船業を除く。）に属する事業の元方事業者は、混在作業によって生ずる労働災害を防止するため、①**作業間の連絡・調整に関する措置**、②その他必要な措置（**合図の統一等**）を講じなければならない。　　　　　（則643条の2〜則643条の6）

── 問題チェック　H24-8 ──

　労働安全衛生法に関する次の記述のうち、造船業を除く製造業の元方事業者がその労働者及び関係請負人の労働者の作業が同一の場所において行われる場合に、法令の規定により講じることが義務付けられている措置として、正しいものはどれか。

A　元方事業者及びすべての関係請負人が参加する協議組織の設置及び運営を行うこと。

B　関係請負人が行う労働者の安全又は衛生のための教育を行う場所の提供、当該教育に使用する資料の提供等を行うこと。

C　統括安全衛生責任者を選任すること。

D　つり上げ荷重が1トンのクレーンを用いて行う作業であるときは、当該クレーンの運転についての合図を統一的に定めること。

E　元方安全衛生管理者を選任すること。

解答 D

A 法30条の2,1項、則635条1項1号。設問の義務は、特定元方事業者に課せられている。

B 法30条の2,1項、則638条。設問の義務は、特定元方事業者に課せられている。

C 法15条1項、法30条の2,1項。設問の義務は、一定規模以上の特定元方事業者に課せられている。

D 法30条の2,1項、則643条の3,1項、クレーン則2条。設問の通り正しい。

E 法15条の2,1項、法30条の2,1項。設問の義務は、一定規模以上の建設業を行う特定元方事業者に課せられている。

Advice
造船業を除く製造業の元方事業者の講ずべき措置は、①作業間の連絡・調整に関する措置、②その他必要な措置（合図の統一等）であることを押さえておけば、Dを選び出すことは可能である。

注文者の講ずべき措置等

❶ 注文者の講ずべき措置
（法31条1項、法31条の2、法31条の4）重要度 B ★★

Ⅰ 　特定事業の**仕事**を**自ら行う注文者**は、**建設物、設備又は原材料**（以下「**建設物等**」という。）を、当該**仕事を行う場所**においてその**請負人の労働者**に使用させるときは、当該**建設物等**について、当該**労働者の労働災害を防止**するため**必要な措置**を**講じなければならない**。 R元-8E

Ⅱ 　**化学物質、化学物質を含有する製剤**その他の物を**製造**し、又は**取り扱う設備**で政令で定めるものの**改造**その他の厚生労働省令で定める作業に係る仕事の**注文者**は、当該物について、当該仕事に係る**請負人の労働者**の**労働災害を防止**するため必要な措置を**講じなければならない**。

Ⅲ 　**注文者**は、その**請負人**に対し、当該仕事に関し、その**指示**に従って当該**請負人の労働者**を労働させたならば、労働安全衛生法又は同法に基づく命令の規定に**違反**することとなる**指示をしてはならない**。

趣旨

上記Ⅰは注文者による建設物等に関する労働災害防止措置について、上記Ⅱは労働災害防止のための発注者等による危険有害性情報の提供について、上記Ⅲは違法な指示の禁止について規定したものである。

1．請負人

上記Ⅰ及びⅢの「請負人」には、当該仕事が数次の請負契約によって行われるときは、当該請負人の請負契約の後次のすべての請負契約の当事者である請負人が含まれる。 R元-8E

（法31条1項カッコ書）

2. 発注者等による危険有害性情報の提供

上記Ⅱは、化学物質の危険性や発注者等の講じた措置等の情報を文書等により請負人に提供しなければならないことを規定したものである。対象となる作業は、次の(1)及び(2)の設備の改造、修理、清掃等で、当該設備を分解する作業又は当該設備の内部に立ち入る作業である。

(1) 化学設備及びその附属設備

(2) 労働安全衛生法第57条の2第1項に規定する通知対象物を製造し、又は取り扱う設備（移動式以外のものに限る。）及びその附属設備

（令9条の3、則662条の3）

3. 上記Ⅱの注文者の講ずべき措置

(1) 他の者から請け負わないで注文している注文者（発注者）

所定の事項を記載した文書を作成し、請負人が、2.の対象作業を開始する時までに、その請負人に交付しなければならない。

(2) (1)以外の注文者

(1)により交付を受けた文書の写しを、請負人が、2.の対象作業を開始する時までに、その請負人に交付しなければならない。

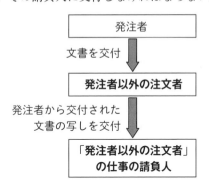

（則662条の4）

❷ 機械等貸与者等の講ずべき措置（法33条1項、2項、令10条、則666条1項）**B** ★★

Ⅰ 機械等で、政令で定めるもの（**一定の移動式クレーン又は一定の車両系建設機械等**）を他の事業者に貸与する者（以下「**機械等貸与者**」という。）は、当該機械等の貸与を受けた事業者の事業場におけ

る当該機械等による**労働災害を防止**するため、次の措置を**講じなけ
ればならない。**

ⅰ 当該**機械等**をあらかじめ**点検**し、**異常**を認めたときは、補修そ
の他必要な**整備**を行なうこと。

ⅱ 当該**機械等**の貸与を受ける事業者に対し、次の事項を記載した
書面を交付すること。

① 当該**機械等の能力**

② 当該**機械等**の**特性**その他その**使用上**注意すべき**事項**

Ⅱ **機械等貸与者**から機械等の**貸与**を受けた者は、当該**機械等**を操作
する者がその使用する労働者でないときは、当該**機械等**の操作によ
る**労働災害を防止**するため必要な措置を**講じなければならない。**

参考（政令で定める機械等）
上記Ⅰの政令で定める機械等は、次に掲げる機械等とする。
(1)つり上げ荷重〔クレーン（移動式クレーンを除く。以下同じ。）、移動式クレーン又はデ
リックの構造及び材料に応じて負荷させることができる最大の荷重をいう。以下同じ。〕
が0.5トン以上の移動式クレーン
(2)別表第7に掲げる建設機械で、動力を用い、かつ、不特定の場所に自走することができ
るもの
(3)不整地運搬車
(4)作業床の高さ（作業床を最も高く上昇させた場合におけるその床面の高さをいう。以下
同じ。）が2メートル以上の高所作業車　　　　　　　　　　　　　　　　（令10条）
（機械等の貸与を受けた者の講ずべき措置）
機械等貸与者から機械等の貸与を受けた者は、当該機械等を操作する者がその使用する労
働者でないときは、次の措置を講じなければならない。
(1)機械等を操作する者が、当該機械等の操作について法令に基づき必要とされる資格又は
技能を有する者であることを確認すること。
(2)機械等を操作する者に対し、次の事項を通知すること。
①作業の内容
②指揮の系統
③連絡、合図等の方法
④運行の経路、制限速度その他当該機械等の運行に関する事項
⑤その他当該機械等の操作による労働災害を防止するため必要な事項　　（則667条）

❸ 建築物貸与者の講ずべき措置
（法34条、令11条）B ★★

建築物で、政令で定めるもの（**事務所又は工場の用に供される建築物**）を**他の事業者に貸与する者**（以下「**建築物貸与者**」という。）は、当該**建築物の貸与**を受けた事業者の事業に係る当該建築物による**労働災害を防止**するため必要な措置を**講じなければならない**。ただし、当該建築物の**全部**を**一の事業者に貸与**するときは、この限りでない。

趣旨

本条は、1つの建築物を貸工場又は貸事務所として2以上の事業者に貸与する（雑居ビル等）場合、当該貸与者は、その貸工場等による労働災害を防止するために必要な措置を講じなければならないことを規定したものである。

❹ 重量表示 （法35条）B ★★

一の貨物で、**重量が1トン以上**のものを**発送**しようとする者は、**見やすく、かつ、容易に消滅しない方法**で、当該貨物にその**重量を表示しなければならない**。ただし、**包装されていない貨物**で、その**重量が一見して明らか**であるものを**発送**しようとするときは、この限りでない。 R5-選D

趣旨

本条は、貨物の重量について誤った認識をもって当該貨物を取り扱うことから生ずる労働災害を防止する目的で設けられた規定である。

参考 「発送しようとする者」とは、最初に当該貨物を運送ルートにのせようとする者をいい、その途中における運送取扱者等は含まれない。 （昭和47.9.18基発602号）

「その重量が一見して明らかであるもの」とは、丸太、石材、鉄骨材等のように外観より重量の推定が可能であるものをいう。 （同上）

第3章

機械等及び
危険・有害物

第3章 第1節

機械等に関する規制

特定機械等に関する規制

❶ 特定機械等（法37条1項、法別表第1、令12条） 重要度 A

★★★

　特定機械等（**特に危険な作業**を必要とする機械等として別表第1に掲げるもので、政令で定めるもの）とは、次の機械等（**本邦の地域内で使用されない**ことが明らかな場合を**除く**。）をいう。R5-8A～E

- i **ボイラー**（**小型ボイラー等**を除く。）
- ii **第1種圧力容器**（**小型圧力容器等**を除く。）
- iii **つり上げ荷重が3トン以上**（**スタッカー式クレーン**にあっては、**1トン以上**）の**クレーン**
- iv **つり上げ荷重が3トン以上の移動式クレーン**
- v つり上げ荷重が**2トン以上**の**デリック**
- vi 積載荷重が**1トン以上**の**エレベーター**（**簡易リフト**及び**建設用リフト**を除く。）
- vii ガイドレール等の高さが**18メートル以上**の**建設用リフト**（積載荷重が**0.25トン未満**のものを除く。）
- viii **ゴンドラ**

概要

　特定機械等（特に危険な作業を必要とする機械等）については、製造段階から、設置、使用に至るまで一貫した次のような規制が設けられている。

- (1) あらかじめ**都道府県労働局長**による**製造の許可**を受けた上で製造しなければならない。
- (2) **製造時等に都道府県労働局長等の検査**を、**設置時等に労働基準監督署長の検査**を受けなければならず、これに合格すると**検査証が交付される**（この検査証を受けていない場合は使用等が禁止される）。
- (3) 検査証には**有効期間**が定められており、**性能検査**を受けてそれを**更新**していくことにより、構造上の劣化や安全機能の低下を防止していく。

❷ 製造の許可（法37条）[重要度] A ★★★

I　**特定機械等**を**製造**しようとする者は、あらかじめ、**都道府県労働局長の許可**を受けなければならない。

II　**都道府県労働局長**は、Iの**許可の申請**があった場合には、その**申請を審査**し、**申請に係る特定機械等の構造等**が**厚生労働大臣の定める基準**に**適合**していると認めるときでなければ、Iの**許可**をしてはならない。

❸ 都道府県労働局長等の検査
（法38条1項、法39条1項）[重要度] A ★★★

I　**特定機械等**を**製造**し、若しくは**輸入した者**、特定機械等で厚生労働省令で定める期間**設置されなかったものを設置**しようとする者又は**特定機械等で使用を廃止したものを再び設置**し、若しくは**使用しようとする者**は、当該**特定機械等**及びこれに係る厚生労働省令で定める事項について、当該**特定機械等**が、**特別特定機械等（特定機械等**のうち厚生労働省令で定めるものをいう。）**以外**のものであるときは**都道府県労働局長**の、**特別特定機械等**であるときは**厚生労働大臣の登録**を受けた者（以下「**登録製造時等検査機関**」という。）の検査（以下「**製造時等検査**」という。）を受けなければならない。

II　**都道府県労働局長**又は**登録製造時等検査機関**は、Iの**製造時等検査**に合格した**移動式の特定機械等**について、**検査証を交付**する。

概要

　都道府県労働局長又は登録製造時等検査機関による検査・検査証の交付等についてまとめると、次の通りとなる。

特定機械等の種類	製造時の検査	輸入時・一定期間経過後の設置時・廃止後の再設置・再使用時の検査	検査証の交付	検査証の交付者	検査証の有効期間※2
ボイラー（移動式を除く）	溶接検査構造検査	使用検査	×		
第1種圧力容器（移動式を除く）			×		
移動式ボイラー			○	登録製造時等検査機関※1	1年
移動式第1種圧力容器			○		
移動式クレーン	製造検査		○	都道府県労働局長	2年
ゴンドラ			○		1年
クレーン					
デリック					
エレベーター					
建設用リフト					

○…検査証が交付される　　×…検査証は交付されない

※1　登録を受ける製造時等検査機関がないことにより都道府県労働局長が検査を行う場合は、都道府県労働局長が検査証を交付する。（法53条の2）

※2　検査証の有効期間については、後述 ❻「検査証の有効期間と性能検査」を参照。

|Check Point!|

□　製造時等検査に合格した特定機械等のうち、都道府県労働局長等が検査証を交付するのは、移動式のものについてのみである。

1．製造時等検査の対象機械等

　製造時等検査の対象となるのは、特定機械等のうち**ボイラー**、**第1種圧力容器**、**移動式クレーン**、**ゴンドラ**（クレーン、デリック、エレベーター、建設用リフトを除く特定機械等）である。

2．検査実施者

　対象機械等のうち、**特別特定機械等（ボイラー及び第1種圧力容器をいう。）**については、**登録製造時等検査機関**が、それ以外の対象機械等については**都道府県労働局長**が製造時等検査を行う。

3．報告

登録製造時等検査機関は、製造時等検査を行ったときは、その結果について、**速やかに**、**製造時等検査結果報告書**を製造時等検査を行った製造時等検査対象機械等を製造した事業場の所在地を管轄する都道府県労働局長に提出しなければならない。

（登録指定省令1条の8の5）

4．検査の種類

(1) 特定機械等を**製造**したとき………**製造時検査**[※1]

(2) 特定機械等を**輸入**したとき………**使用検査**

(3) 特定機械等で製造時等検査を受けた後設置しないで、ボイラー、第1種圧力容器及びゴンドラは**1年以上**（設置しない期間の保管状況が良好であると都道府県労働局長が認めた場合は2年以上）、移動式クレーンは**2年以上**（設置しない期間の保管状況が良好であると都道府県労働局長が認めた場合は3年以上）経過したものを設置するとき………**使用検査**

(4) 特定機械等で使用を**廃止したもの**[※2]を**再び設置**し、又は**使用**しようとするとき………**使用検査**

（ボイラー則5条1項、7条1項、12条1項他）

※1 特定機械等の種別により「**構造検査**」「**溶接検査**」又は「**製造検査**」と称される。

※2 「使用を廃止したもの」とは、検査証を返還したもの、性能検査を受けなかったために検査証の有効期間が切れた移動式のもの及び性能検査を受けなかったために検査証の有効期間が切れて6箇月以上経過した固定式のものをいう。

（昭和47.9.18基発602号）

5．検査証の交付

都道府県労働局長又は**登録製造時等検査機関**は、製造時等検査に合格した特定機械等（ボイラー、第1種圧力容器、移動式クレーン、ゴンドラ）のうち、**移動式のもの**（移動式ボイラー、移動式第1種圧力容器、移動式クレーン、ゴンドラ）についてのみ、**検査証を交付**する。

（法39条）

❹ 労働基準監督署長の検査（法38条3項、法39条2項、3項）重要度 A

★★★

Ⅰ **特定機械等**（**移動式のものを除く**。）を設置した者、**特定機械等**の厚生労働省令で定める部分に**変更**を加えた者又は**特定機械等**で**使用**

第3章 第1節

を**休止**したものを**再び使用**しようとする者は、当該**特定機械等**及びこれに係る厚生労働省令で定める事項について、**労働基準監督署長**の**検査**を受けなければならない。

Ⅱ　**労働基準監督署長**は、Ⅰの**検査**で、**特定機械等**の設置に係るものに**合格**した**特定機械等**について、**検査証**を**交付**する。

Ⅲ　**労働基準監督署長**は、Ⅰの**検査**で、**特定機械等**の部分の変更又は**再使用**に係るものに**合格**した**特定機械等**について、当該**特定機械等**の**検査証**に、**裏書**を行う。

概要

労働基準監督署長による検査・検査証の交付等についてまとめると、次の通りとなる。

特定機械等の種類	設置時の検査	変更時の検査	休止後の検査	検査証の交付	検査証の有効期間※
ボイラー（移動式を除く）	落成検査			○	1年
第1種圧力容器（移動式を除く）				○	
移動式ボイラー		変更検査	使用再開検査		
移動式第1種圧力容器					
移動式クレーン					
ゴンドラ					
クレーン	落成検査			○	2年
デリック				○	
エレベーター				○	1年
建設用リフト				○	設置から廃止までの期間

○…検査証が交付される（**変更検査**及び**使用再開検査**に合格した場合は、検査証に**裏書**を行う）

※　検査証の有効期間については、後述 **❻**「**検査証の有効期間と性能検査**」を参照。

┌───┐

┃Check Point!

☐ 移動式の特定機械等については、落成検査は行われない。

☐ 建設用リフトについては、使用再開検査は行われない。

└───┘

1. 検査の種類

労働基準監督署長の検査を受けなければならないのは、以下のような場合である。

(1) 特定機械等を**設置**したとき……**落成検査**

(2) 特定機械等の**主要構造部分**に変更を加えたとき……**変更検査**

(3) 建設用リフト以外の特定機械等で使用を**休止したものを再び使用**しようとするとき……**使用再開検査**

2. 検査証の交付

労働基準監督署長の検査に合格した場合の検査証については、次のような扱いになる。

(1) **労働基準監督署長**は、設置時の検査（落成検査）に合格した特定機械等については、**検査証を交付**する。

(2) **労働基準監督署長**は、変更時の検査（変更検査）又は休止後の検査（使用再開検査）に合格した特定機械等については、当該特定機械等の**検査証**に、**裏書**を行う。

❺ 使用等の制限（法40条）重要度 **A** ★★★

Ⅰ **検査証**を受けていない**特定機械等**（部分の**変更**又は**再使用**に係る検査を受けなければならない**特定機械等**で、**労働基準監督署長の裏書**を受けていないものを含む。）は、**使用してはならない**。

Ⅱ **検査証**を受けた**特定機械等**は、**検査証**とともにするのでなければ、**譲渡**し、又は**貸与してはならない**。

参考（検査証）
　本条の「検査証」は、有効期間内の検査証をいうものであり、有効期間の更新を受けずにその後も引き続き使用していた場合には、本条違反となる。

（昭和47.9.16基発602号、昭和52.8.16基収729号）

（使用の制限）
事業者は、特定機械等については、厚生労働大臣の定める基準（特定機械等の構造に係る部分に限る。）に適合するものでなければ使用してはならない。

（ボイラー則26条、64条、クレーン則17条、64条、ゴンドラ則11条他）

❻ 検査証の有効期間と性能検査（法41条）重要度 A

★★★

Ⅰ　**検査証**の**有効期間**（**検査証**の**有効期間**が**更新**されたときにあっては、当該**更新**された**検査証**の**有効期間**）は、**特定機械等**の種類に応じて、厚生労働省令で定める期間とする。

Ⅱ　**検査証**の**有効期間**の更新を受けようとする者は、当該**特定機械等**及びこれに係る厚生労働省令で定める事項について、**厚生労働大臣**の**登録**を受けた者（以下「**登録性能検査機関**」という。）が行う**性能検査**を受けなければならない。

概要

有効期間についてまとめると、次の通りとなる。

有効期間	機械の種類
1年	ボイラー、第1種圧力容器、エレベーター、ゴンドラ
2年	クレーン、移動式クレーン、デリック
設置から廃止までの期間	建設用リフト

▌Check Point!

□ 建設用リフトは、性能検査を受ける必要はない（検査証の有効期間が設置から廃止までの期間であるため）。

参考 高度な安全管理が行われていると所轄労働基準監督署長が認めたボイラー等については、当該ボイラー等に係る性能検査を受けようとする者が、登録性能検査機関等への申請に際し、自主検査の結果を明らかにする書面を提出することができる（これにより、自主検査における検査項目を重ねて確認することを不要とする）。

構造規格等の具備を要する 機械等に関する規制

① 概要 [重要度 C]

　　特定機械等以外の機械等であっても一定の危険・有害作業を必要とする機械等については、次のような規制がされている。

ⅰ　所定の規格又は安全装置を具備しなければ譲渡等が禁止される。

ⅱ　製造等した場合は、**個別検定**又は**型式検定**を受けなければならない。

ⅲ　所定の規格又は安全装置を具備しない機械等を譲渡等した者に対しては、回収等の命令が出される。

② 構造規格等の具備を要する機械等の譲渡制限等（法42条）[重要度 A] ★★★

　　特定機械等以外の機械等で、別表第2に掲げるものその他**危険若しくは有害な作業**を**必要**とするもの、**危険な場所**において使用するもの又は**危険若しくは健康障害を防止**するため**使用**するもののうち、政令で定めるものは、**厚生労働大臣**が定める**規格**又は**安全装置**を**具備**しなければ、**譲渡**し、**貸与**し、又は**設置**してはならない。

> **参考** 本条による規制の対象となる機械等は、例えば、次に掲げるものである。ただし、本邦の地域内で使用されないことが明らかなものについては、この規定は適用しない。[R元-9A～E]
> (1)動力により駆動されるプレス機械、エックス線装置等のように危険又は有害な作業を必要とするもの
> (2)防爆構造電気機械器具のように危険な場所において使用するもの
> (3)安全装置、保護具や電動ファン付き呼吸用保護具のように危険又は健康障害を防止するため使用するもの
> (法別表第2、令13条)

問題チェック [R元-9A～E]

労働安全衛生法第42条により、厚生労働大臣が定める規格又は安全装置を具備しなければ、譲渡し、貸与し、又は設置してはならないとされているものとして掲げた

次の機械等（本邦の地域内で使用されないことが明らかな場合を除く。）のうち、誤っているものはどれか。

    A　プレス機械又はシャーの安全装置
    B　木材加工用丸のこ盤及びその反発予防装置又は歯の接触予防装置
    C　保護帽
    D　墜落制止用器具
    E　天板の高さが1メートル以上の脚立

解答 E
法42条、法別表第2、令13条

    A　○　法42条、法別表第2,5号。設問の通り正しい。
    B　○　法42条、法別表第2,10号。設問の通り正しい。
    C　○　法42条、法別表第2,15号。設問の通り正しい。
    D　○　法42条、令13条3項28号。設問の通り正しい。
    E　×　法42条、法別表第2、令13条。天板の高さが1メートル以上の脚立は、
　　　　　法42条の機械等には含まれていない。

---

❸ 動力駆動機械等の譲渡制限等（法43条）[重要度 A]

★★★

　　動力により駆動**される機械等**で、**作動部分上の突起物又は動力伝導部分**若しくは**調速部分**に厚生労働省令で定める**防護**のための**措置**が施されていないものは、**譲渡**し、**貸与**し、又は**譲渡**若しくは**貸与の目的**で**展示**してはならない。

参考「防護のための措置」とは、具体的には次の措置をいう。
　　①作動部分上の突起物（ボルト、セットスクリュー等）については、埋頭型とし、又は覆いを設けること。
　　②動力伝導部分又は調速部分（歯車、ベルト、クランク・アーム等）については、覆い又は囲いを設けること。
（則25条）

❹ 個別検定（法44条1項、3項、4項、6項）[重要度 B]

★★

Ⅰ　第42条の機械等［**特定機械等以外の機械等**］（**型式検定を受けるべき機械等を除く**。）のうち、別表第3に掲げる機械等で政令で定めるものを**製造**し、又は**輸入**した者は、**厚生労働大臣**の登録を受けた者（以下「**登録個別検定機関**」という。）が**個々に行う**当該**機械等**につ

いての検定（以下「**個別検定**」という。）を**受けなければならない**。

Ⅱ **登録個別検定機関**は、個別検定を受けようとする者から**申請**があった場合には、当該**申請**に係る**機械等**が厚生労働省令で定める**基準に適合**していると認めるときでなければ、当該**機械等**を個別検定に**合格させてはならない**。

Ⅲ 個別検定を受けた者は、当該個別検定に**合格**した**機械等**に、当該個別検定に**合格**した旨の**表示**を付さなければならない。

Ⅳ 個別検定を受けるべき機械等で、個別検定に**合格**した旨の**表示**が付されていないものは、**使用してはならない**。

Check Point!

□ 型式検定と異なり、合格証は交付されない。

1. 個別検定の対象機械等

構造規格等の具備を要する機械等のうち、工作上の適否が機械等の安全性に重大な影響を及ぼすため、工作の適正を個々に検定しなければならないとされている次の機械等が対象となる。ただし、本邦の地域内で使用されないことが明らかなものについては、個別検定を受ける必要はない。

(1) ゴム、ゴム化合物又は合成樹脂を練るロール機の**急停止装置のうち電気的制動方式**のもの

(2) 第2種圧力容器（一定のものを除く。）

(3) 小型ボイラー（一定のものを除く。）

(4) 小型圧力容器（一定のものを除く。） (法別表第3、令14条)

2. 個別検定合格の表示

個別検定に合格した旨の表示は、機械等の見やすい箇所に、**1.(1)**については**個別検定合格標章**を付し、**1.(2)(3)(4)**については**刻印**を押すか又は**刻印を押した銘板**を取り付ける方法によって行う。

また、個別検定に合格した機械等については、個別検定実施者により合格の印を押した明細書が交付される。

なお、個別検定に合格した機械等以外の機械等には、個別検定に合格した旨の表示を付し、又はこれと紛らわしい表示を付してはならないとされている。

(法44条5項、機械検定則4条、5条)

❺ 型式検定 重要度 B

1 型式検定の実施 (法44条の2,1項、3項、4項、5項、7項)

★★

> Ⅰ　第42条の機械等［**特定機械等以外の機械等**］のうち、別表第4に掲げる機械等で政令で定めるものを**製造**し、又は輸入した者は、**厚生労働大臣**の登録を受けた者（以下「**登録型式検定機関**」という。）が行う当該**機械等**の型式についての検定（以下「**型式検定**」という。）を**受けなければならない。**
>
> Ⅱ　**登録型式検定機関**は、型式検定を受けようとする者から**申請**があった場合には、当該**申請**に係る**型式の機械等**の構造並びに当該**機械等**を**製造**し、及び**検査**する**設備等**が厚生労働省令で定める**基準に適合**していると認めるときでなければ、当該型式を**型式検定に合格させてはならない。**
>
> Ⅲ　**登録型式検定機関**は、型式検定に**合格**した型式について、型式検定合格証を**申請者**に**交付**する。
>
> Ⅳ　型式検定を受けた者は、当該**型式検定に合格**した型式の**機械等**を本邦において**製造**し、又は**本邦に輸入**したときは、当該**機械等**に、型式検定に**合格**した型式の機械等である旨の**表示を付さなければならない。**
>
> Ⅴ　型式検定を受けるべき**機械等**で、型式検定に**合格**した型式の**機械等である旨の表示が付されていない**ものは、**使用してはならない。**

▌Check Point!▶

□ 新規に型式検定に合格した型式については、型式検定合格証が交付される。

1. 型式検定の対象機械等

　構造規格等の具備を要する機械等のうち、大量生産されサンプルについて検定を行えば個別に安全性を確認する必要がない、又は保護帽のように検定によって検定現品が破損・性能劣化する等個別に安全性を確認することが困難とされている次の機械等が対象となる。ただし、本邦の地域内で使用されないことが明らか

なものについては、型式検定を受ける必要はない。

(1) ゴム、ゴム化合物又は合成樹脂を練るロール機の急停止装置のうち電気的制動方式以外の制動方式のもの

(2) 動力により駆動されるプレス機械のうちスライドによる危険を防止するための機構を有するもの

(3) 防爆構造電気機械器具（一定のものを除く。）

(4) 以下の安全装置等

① **プレス機械**又は**シャーの安全装置**

② クレーン又は移動式クレーンの過負荷防止装置

③ 木材加工用丸のこ盤の歯の接触予防装置のうち可動式のもの

④ 交流アーク溶接機用自動電撃防止装置

(5) 以下の防護具等（一定のものに限る。）

① **防じんマスク**[※1]

② 防毒マスク[※2]

③ 絶縁用保護具

④ 絶縁用防具

⑤ 保護帽

⑥ 防じん機能を有する電動ファン付き呼吸用保護具

⑦ 防毒機能を有する電動ファン付き呼吸用保護具[※3]

（法別表第4、令14条の2、則29条の2、則29条の3）

※1 **ろ過材及び面体を有するもの**に限る。 H30-選E

※2 ハロゲンガス用、有機ガス用、一酸化炭素用、アンモニア用、亜硫酸ガス用のものに限る。

※3 ハロゲンガス用、有機ガス用、アンモニア用、亜硫酸ガス用のものに限る。

2. 型式検定合格の表示

型式検定に合格した旨の表示は、機械等の見やすい箇所に、**型式検定合格標章を付す**方法によって行う。

また、新規に型式検定に合格した型式については、型式検定実施者により**型式検定合格証**が**交付**される。

なお、型式検定に合格した型式の機械等以外の機械等には、型式検定に合格した型式の機械等である旨の表示を付し、又はこれと紛らわしい表示を付してはならないとされている。

（法44条の2,6項、機械検定則9条、14条）

2 型式検定合格証の有効期間等 （法44条の3、機械検定則10条）

★★★

I 型式検定合格証の有効期間（型式検定合格証の有効期間が更新されたときにあっては、当該更新された型式検定合格証の有効期間）は、機械等の種類に応じて、次の期間とする。

　i 防じんマスク、防毒マスク及び防じん・防毒機能を有する電動ファン付き呼吸用保護具については5年

　ii i以外の型式検定対象機械等については3年

II 型式検定合格証の有効期間の更新を受けようとする者は、型式検定（更新検定）を受けなければならない。

▌Check Point!▶

□ 防じん、防毒マスク及び防じん・防毒機能を有する電動ファン付き呼吸用保護具以外の機械等の型式検定合格証の有効期間は3年である。

参考 厚生労働大臣は、型式検定に合格した型式の機械等であっても、その後製造された機械等が厚生労働省令で定める基準に適合しないと認めるとき等一定の事由が発生した場合には、当該型式検定合格証の効力を失わせることができる。 （法44条の4）

❻ 回収等の命令 （法43条の2） **B**

★★

　厚生労働大臣又は都道府県労働局長は、第42条の機械等［特定機械等以外の機械等］を製造し、又は輸入した者が、当該機械等で、次のiからivのいずれかに該当するものを譲渡し、又は貸与した場合には、その者に対し、当該機械等の回収又は改善を図ること、当該機械等を使用している者へ厚生労働省令で定める事項を通知することその他当該機械等が使用されることによる労働災害を防止するため必要な措置を講ずることを命ずることができる。

　i 個別検定に合格した機械等以外の機械等で、個別検定に合格した旨の表示が付され、又はこれと紛らわしい表示が付されたもの

　ii 型式検定に合格した型式の機械等で、厚生労働大臣が定める規格又は安全装置（以下「規格等」という。）を具備していないもの

iii 　**型式検定**に**合格**した**型式の機械等以外**の機械等で、**型式検定に合格した型式の機械等である旨の表示**が付され、又はこれと**紛らわしい表示**が付されたもの

iv 　**型式検定**の対象となる**機械等以外の機械等**で、**規格等を具備し**ていないもの

┃Check Point!

□ 上記 iv は、型式検定の対象とならない機械等（自己認証対象機械等）についても一定の規格等を具備していないものについては、回収命令等が出されることがあるという意味である。

定期自主検査

❶ 定期自主検査
（法45条1項、2項、法54条の3,1項） 重要度 A ★★★

> Ⅰ 　**事業者**は、**ボイラーその他の機械等**で、政令で定めるものについて、**定期**に**自主検査**を行ない、及びその**結果を記録**しておかなければならない。
>
> Ⅱ 　**事業者**は、Ⅰの**自主検査**のうち**特定自主検査**を行うときは、その使用する労働者で厚生労働省令で定める**資格を有するもの**又は**検査業者**（**厚生労働省**又は**都道府県労働局**に備える**検査業者名簿への登録**を受け、**他人の求め**に応じて当該**機械等**について**特定自主検査を行う者**）に**実施**させなければならない。

📖 **趣旨**

　機械等の安全を確保するためには、前述したさまざまな規制に加えて、事業者が当該機械等の使用過程において一定の期間ごとに自主的にその機能をチェックし、異常の早期発見と補修に努める必要がある。本条は、このような趣旨から設けられた規定である。

▌**Check Point!**▶

☐ 特定機械等は、特定自主検査の対象とはされていない。

1.　定期自主検査

　定期自主検査とは、政令で定める機械等について、その安全を確保するために、事業者に実施が義務付けられている自主検査を指す。

　事業者は、**定期自主検査**を行ったときは、その**結果を記録**し、**3年間保存**しなければならないとされている。 H30-9E

　なお、主な対象機械等及び検査の時期は、次表のとおりである。

対象機械等	検査時期
特定機械等に該当するボイラー 特定機械等に該当する第1種圧力容器 特定機械等に該当するエレベーター 特定機械等に該当する建設用リフト 特定機械等に該当するゴンドラ	1月以内ごとに1回
透過写真撮影用のガンマ線照射装置	1月以内ごとに1回 （一部の事項については 6月以内ごとに1回）
特定機械等に該当するクレーン 一定の小型クレーン 特定機械等に該当する移動式クレーン 一定の小型移動式クレーン 特定機械等に該当するデリック 一定の小型デリック 一定の簡易リフト	1年以内ごとに1回 （一部の事項については 1月以内ごとに1回）
一定の小型ボイラー 一定の第2種又は小型圧力容器 一定の小型エレベーター 動力により駆動されるシャー 動力により駆動される遠心機械 一定の有機溶剤業務を行う作業場所に設置する局所排気装置 H30-9D 一定の溶接装置	1年以内ごとに1回
化学設備（配管を除く。）及びその附属設備 特定化学設備及びその附属設備	2年以内ごとに1回

・左欄の機械等を右欄の期間を超える期間使用しない場合には、その使用しない期間においては自主検査を行わなくてもよい。ただし、使用を再開する際には自主検査を行わなければならない。

（則135条、ボイラー則32条他）

2. 特定自主検査

　特に検査が技術的に難しく、また一度事故が発生すると大きな災害をもたらすおそれのある機械等については、一定の**資格を有する労働者**あるいは**検査業者**による検査が義務付けられている。これを**特定自主検査**という。 H30-9C

　なお、対象機械等及び検査の時期は次表のとおりである。

対象機械等	検査時期
①フォークリフト H30-9B R6-選D ②ブル・ドーザー等の車両系建設機械 ③動力により駆動されるプレス機械 H30-9A ④作業床の高さが２メートル以上の高所作業車 H30-9C	１年以内ごとに１回
⑤不整地運搬車	２年以内ごとに１回

・左欄の機械等を右欄の期間を超える期間使用しない場合には、その使用しない期間においては自主検査を行わなくてもよい。ただし、使用を再開する際には自主検査を行わなければならない。　　　　　　　　　　　　　　　　　　　　　　（令15条２項他）

・特定自主検査の対象となる上記の対象機械等のうち、③動力により駆動されるプレス機械以外のもの（①、②、④及び⑤の対象機械等）については、一定事項について、有資格者や検査業者でない者が行うことができる（通常の）定期自主検査（１月以内ごとに１回）も規定されている。　　　　（則151条の22、則151条の54、則168条、則194条の24）

第3章 第2節

危険・有害物に関する規制

① 危険・有害性が判明している物質に関する規制

- ❶ 製造等の禁止
- ❷ 製造の許可
- ❸ 表示等
- ❹ 文書の交付等
- ❺ 表示対象物及び通知対象物について事業者が行うべき調査等
- ❻ 表示対象物及び通知対象物以外の調査等

② 危険・有害性が不明である物質に関する規制

- ❶ 新規化学物質の有害性の調査
- ❷ 調査の省略
- ❸ 有害性の調査の指示

危険・有害性が判明している物質に関する規制

❶ 製造等の禁止（法55条）重要度 B ★★

> 　黄りんマッチ、**ベンジジン**、**ベンジジン**を含有する製剤その他の**労働者に重度の健康障害を生ずる物**で、政令で定めるものは、**製造し、輸入し、譲渡し、提供し、又は使用してはならない**。ただし、**試験研究**のため**製造し、輸入し、又は使用**する場合で、政令で定める要件に該当するときは、この限りでない。

概要

　上記によって禁止される行為は、「製造し、輸入し、譲渡し、提供し、又は使用すること」であるが、ここで、「譲渡」とは、有償、無償を問わず所有権の移転を伴う行為を指し、「提供」とは、所有権を留保したまま渡すという事実行為を指す。

(昭和47.9.18基発602号他)

▌Check Point!

□ 製造等禁止物質の製造等を許可するのは、都道府県労働局長であって、厚生労働大臣ではない。

1. 対象物質

製造等の禁止の対象となっている物質は、次のとおりである。

(1) 黄りんマッチ

(2) **ベンジジン**及びその塩

(3) ４−アミノジフェニル及びその塩

(4) 石綿（次に掲げる物で厚生労働省令で定めるものを**除く**。）

　① 石綿の**分析のための試料の用**に供される石綿

　② 石綿の**使用状況の調査**に関する**知識又は技能の習得**のための**教育の用**に供される石綿

　③ ①又は②に掲げる物の原料又は材料として使用される石綿

(5)　4－ニトロジフェニル及びその塩

(6)　ビス（クロロメチル）エーテル

(7)　ベーター－ナフチルアミン及びその塩

(8)　ベンゼンを含有するゴムのりで、その含有するベンゼンの容量が当該ゴムのりの溶剤（希釈剤を含む。）の５％を超えるもの

(9)　(2)(3)(5)(6)(7)をその重量の１％を超えて含有し、又は(4)をその重量の0.1％を超えて含有する製剤その他の物

(令16条１項)

参考　(4)の①から③までに掲げる石綿で厚生労働省令で定めるもの若しくはこれらの石綿をその重量の**0.1％を超えて含有する**製剤その他の物を「**石綿分析用試料等**」という。

(令６条23号)

2.　試験研究のための特例

　製造等の禁止の対象となっている物質であっても、次の要件を満たしたときには**試験研究の目的**で製造し、輸入し、使用することができる※。

(1)　製造、輸入又は使用について、**あらかじめ、所轄都道府県労働局長の許可**を受けること。

(2)　**厚生労働大臣が定める基準**に従って製造し、又は使用すること。

(令16条２項)

※　試験研究の特例が認められるのは、試験研究者が自ら製造等を行う場合である。ただし、輸入について、輸入に係る事務を輸入業者に代行させることは差し支えない。

(昭和47.9.18基発602号)

❷ 製造の許可（法56条1項、2項）重要度 B

⭐⭐

> Ⅰ　**ジクロルベンジジン、ジクロルベンジジンを含有する製剤その他**の**労働者**に**重度の健康障害**を生ずるおそれのある物で、政令で定めるものを製造しようとする者は、あらかじめ、**厚生労働大臣の許可**を受けなければならない。
>
> Ⅱ　**厚生労働大臣**は、Ⅰの**許可**の**申請**があった場合には、その**申請**を**審査**し、**製造設備、作業方法等**が**厚生労働大臣の定める基準に適合**していると認めるときでなければ、その**許可をしてはならない**。

▌Check Point!

□　製造許可物質の製造を許可するのは、厚生労働大臣であって、都道府県

> 労働局長ではない。

1. 製造許可物質

本条の**製造許可物質**は、第1類物質及び石綿分析用試料等である。　　　(令17条)

参考 第1類物質は次の通りである。
- (1)**ジクロルベンジジン及びその塩**
- (2)アルファーナフチルアミン及びその塩
- (3)塩素化ビフェニル（別名PCB）
- (4)オルトートリジン及びその塩
- (5)ジアニシジン及びその塩
- (6)ベリリウム及びその化合物
- (7)ベンゾトリクロリド
- (8)(1)～(6)をその重量の1％を超えて含有し、又は(7)をその重量の0.5％を超えて含有する
製剤その他の物（合金にあっては、ベリリウムをその重量の3％を超えて含有するもの
に限る。）　　　　　　　　　　　　　　　　　　　　(令17条、令別表第3,1号)

2. 基準適合維持義務

製造許可を受けた者（製造者）は、その製造設備を厚生労働大臣の定める基準
に適合するように維持するとともに、同基準に適合する作業方法に従って製造し
なければならない。　　　　　　　　　　　　　　　　　　(法56条3項、4項)

参考 (厚生労働大臣の命令)
厚生労働大臣は、製造者の製造設備又は作業方法が厚生労働大臣の定める基準に適合して
いないと認めるときは、当該基準に適合するように製造設備を修理し、改造し、若しくは
移転し、又は当該基準に適合する作業方法に従って対象物質を製造すべきことを命ずるこ
とができる。　　　　　　　　　　　　　　　　　　　　　(法56条5項)

(製造許可の取消し)
厚生労働大臣は、製造者が労働安全衛生法若しくはこれに基づく命令の規定又はこれらの
規定に基づく処分に違反したときは、製造の許可を取り消すことができる。　(法56条6項)

3. 事業場内において別容器等で保管する場合の措置

事業者は、製造許可物質を容器に入れ、又は包装して保管するとき（法第57条
第1項の規定による表示がされた容器又は包装により保管するときを除く。）は、
当該物の名称及び人体に及ぼす作用について、当該物の保管に用いる容器又は包
装への表示、文書の交付その他の方法により、当該物を取り扱う者に、明示しな
ければならない。　　　　　　　　　　　　　　　　　　　(則33条の2)

❸ 表示等（法57条、則33条）重要度 B ★★

Ⅰ　**爆発性の物**、**発火性の物**、**引火性の物**その他の**労働者**に危険を生ずるおそれのある物若しくは**ベンゼン**、**ベンゼンを含有する製剤**その他の労働者に**健康障害**を生ずるおそれのある物で政令で定めるもの又は第56条第１項の物［**製造許可物質**］を容器に入れ、又は包装して、**譲渡し**、又は**提供する者**は、その**容器又は包装**（容器に入れ、かつ、包装して、譲渡し、又は提供するときにあっては、その容器）に次に掲げるものを**表示**しなければならない。ただし、その**容器又は包装**のうち、**主として一般消費者の生活の用**に供するためのものについては、この限りでない。

i　次に掲げる事項
　① **名称**
　② **人体に及ぼす作用**
　③ **貯蔵**又は**取扱い上の注意**
　④ **表示をする者の氏名**（法人にあっては、その名称）、**住所**及び**電話番号**
　⑤ **注意喚起語**
　⑥ **安定性**及び**反応性**
ii　当該物を取り扱う**労働者**に注意を喚起するための標章で**厚生労働大臣**が定めるもの

Ⅱ　Ⅰの政令で定める物又は第56条第１項の物［**製造許可物質**］をⅠに規定する方法以外の方法により**譲渡し**、又は**提供する者**は、Ⅰのⅰⅱの事項を**記載した文書**を、譲渡し、又は提供する**相手方**に**交付**しなければならない。

趣旨

上記は、物質の危険性や有害性を知らずに作業を行ったことが原因で発生する労働災害を防止するために、一定事項の表示を義務付けた規定である。

Check Point!

□ 製造許可物質は、表示対象物である。

1.　表示対象物

表示等の対象となる物質は、次のとおりである。

(1)　法第56条第1項の厚生労働大臣の**製造許可物質**

(2)　令第18条に掲げる物質（アリル水銀化合物等）　　　　　　　（令18条）

2.　表示方法

容器又は包装に一定事項を表示することとされているが、容器に入れ、かつ、包装して譲渡又は提供する場合は、容器の方に表示しなければならない。

また、**パイプライン**で送る場合のように、**容器又は包装を用いない**で譲渡又は提供する場合には、本条の記載事項を記載した**文書を相手方に交付**しなければならない。なお、当該文書は、譲渡又は提供する際に交付しなければならない。ただし、継続的に又は反復して譲渡し、又は提供する場合において、既に当該文書の交付がなされているときは、この限りでない。　　　　　　　　　（則34条）

> **参考**（主として一般消費者の生活の用に供するためのもの）
> 「主として一般消費者の生活の用に供するためのもの」には、医薬品医療機器等法に定められている医薬品、医薬部外品及び化粧品が含まれる。　　　（昭和47.9.18基発602号）
>
> （名称の表示）
> 表示すべき事項のうち、名称については、製品名により含有する化学物質等が特定できる場合においては、製品名の記載でも差し支えないものとされている。
> 　　　　　　　　　　　　　　　　　　　（平成18.10.20基安化発1020001号）
>
> （表示事項についての改正）
> 従来、表示事項とされていた化学物質の「成分」が削除された（平成28年6月1日施行）。これは、今後、表示対象物の範囲を拡大することが予定されており、その結果、成分欄に記載する物質の数が非常に多くなり、先ず労働者の目に入ることが望ましい絵表示等の危険有害性情報や取扱い上の注意事項が見えにくくなる恐れがあるためである。

3.　事業場内において別容器等で保管する場合の措置

事業者は、表示対象物を容器に入れ、又は包装して保管するとき（法第57条第1項の規定による表示がされた容器又は包装により保管するときを除く。）は、当該物の名称及び人体に及ぼす作用について、当該物の保管に用いる容器又は包装への表示、文書の交付その他の方法により、当該物を取り扱う者に、明示しなければならない。　　　　　　　　　　　　　　　　　　　　　　　　（則33条の2）

❹ 文書の交付等
（法57条の2,1項、2項、則34条の2の4）　重要度 B　★★

> Ⅰ　**労働者**に**危険**若しくは**健康障害**を生ずるおそれのある物で政令で

定めるもの又は第56条第1項の**製造許可物質**（以下「**通知対象物**」
という。）を譲渡し、又は**提供**する者は、**文書の交付**その他厚生労働
省令で定める方法により**通知対象物**に関する次の事項〔第57条第2
項（**❸**Ⅱ）に規定する者にあっては、同項に規定する事項を除く。〕
を、譲渡し、又は**提供**する**相手方に通知**しなければならない。ただ
し、**主として一般消費者の生活の用**に供される製品として**通知対象
物**を譲渡し、又は提供する場合については、この限りでない。

ⅰ　**名称**

ⅱ　成分及びその**含有量**

ⅲ　**物理的**及び**化学的性質**

ⅳ　**人体に及ぼす作用**

ⅴ　**貯蔵**又は**取扱い上の注意**

ⅵ　**流出その他の事故**が発生した場合において講ずべき**応急の措置**

ⅶ　**通知**を行う者の**氏名**（法人にあっては、その名称）、**住所**及び**電
話番号**

ⅷ　**危険性**又は**有害性の要約**

ⅸ　**安定性**及び**反応性**

ⅹ　想定される**用途**及び当該**用途における使用上の注意**

ⅺ　適用される法令

ⅻ　その他参考となる事項

Ⅱ　通知対象物を譲渡し、又は**提供**する者は、Ⅰの規定により**通知**し
た**事項**に変更を行う**必要**が生じたときは、**文書の交付**その他厚生労
働省令で定める方法により、変更後のⅠⅰからⅻの事項を、**速やか
に**、譲渡し、又は提供した**相手方**に**通知**するよう**努めなければなら
ない**。

┃Check Point!▶

□　製造許可物質は、通知対象物である。

1．通知対象物

通知対象物は、以下のとおりである。

(1) 法第56条第1項の厚生労働大臣の**製造許可物質**

(2) 令第18条の2に掲げる物質（アリル水銀化合物等） （令18条の2）

参考 表示対象物と通知対象物の物質の種類は基本的に同じである〔その塩の含有量やその状態（固体・液体等）により異なる場合はある〕。

2. 名称等の通知

(1) 厚生労働省令で定める方法

　　磁気ディスク、光ディスクその他の記録媒体の交付、ファクシミリ装置を用いた送信若しくは電子メールの送信又は当該事項が記載されたホームページのアドレス（二次元コードその他のこれに代わるものを含む。）及び当該アドレスに係るホームページの閲覧を求める旨の伝達とされている。

（則34条の2の3）

(2) 相手方に通知する時期等

① 　上記Ⅰの通知は、通知対象物を譲渡し、又は提供する時までに行わなければならない。ただし、継続的に又は反復して譲渡し、又は提供する場合において、既に当該通知が行われているときは、この限りでない。

② 　通知対象物を譲渡し、又は提供する者は、「**人体に及ぼす作用**」について、直近の確認を行った日から起算して**5年以内ごとに1回**、最新の科学的知見に基づき、**変更を行う必要性の有無を確認**し、変更を行う必要があると認めるときは、当該確認をした日から**1年以内**に、当該事項に変更を行わなければならない。

③ 　②の者は、②の規定により「**人体に及ぼす作用**」について変更を行ったときは、変更後の「**人体に及ぼす作用**」を、**適切な時期**に、譲渡し、又は提供した**相手方の事業者に通知**するものとし、文書若しくは磁気ディスク、光ディスクその他の記録媒体の交付、ファクシミリ装置を用いた送信若しくは電子メールの送信又は当該事項が記載されたホームページのアドレス（二次元コードその他のこれに代わるものを含む。）及び当該アドレスに係るホームページの閲覧を求める旨の伝達により、変更後の当該事項を、当該相手方の事業者が閲覧できるようにしなければならない。

（則34条の2の5）

3. 通知事項の周知

　事業者は、上記ⅠⅡの規定により通知された事項を、化学物質、化学物質を含有する製剤その他の物で当該通知された事項に係るものを取り扱う**各作業場の見やすい場所**に**常時**掲示し、又は**備え付ける**ことその他の厚生労働省令で定める方

法により、当該物を取り扱う**労働者に**周知させなければならない。 R3-10C

（法101条4項）

❺ 表示対象物及び通知対象物について 事業者が行うべき調査等 （法57条の3） 重要度 A

★★★

Ⅰ 　事業者は、厚生労働省令で定めるところにより、第57条第1項の政令で定める物（**表示対象物**）及び**通知対象物**による**危険性**又は**有害性**等を**調査しなければならない。**

Ⅱ 　事業者は、Ⅰの調査の結果に基づいて、労働安全衛生法又はこれに基づく命令の規定による**措置を講ずる**ほか、労働者の**危険**又は**健康障害**を防止するため必要な措置を**講ずるように**努め**なければならない。**

Ⅲ 　**厚生労働大臣**は、第28条第1項及び第3項に定めるもののほか、ⅠⅡの措置に関して、その**適切**かつ**有効**な実施を図るため必要な指針を**公表するものとする。**

Ⅳ 　**厚生労働大臣**は、Ⅲの指針に従い、事業者又はその団体に対し、必要な**指導**、**援助**等を行うことができる。

概要

上記Ⅰの危険性又は有害性等の調査（主として一般消費者の生活の用に供される製品に係るものを除く。）を**リスクアセスメント**という。

表示対象物及び通知対象物についてのリスクアセスメント		義務
リスクアセスメントの結果に基づいて、	労働安全衛生法令上の措置を講じる	義務
	労働者の危険または健康障害を防止するために必要な措置を講じる	努力義務

Check Point!

☐ 業種、事業場規模にかかわらず、対象となる化学物質の製造・取扱いを行うすべての事業場が対象となる。

1.　実施時期等

(1)　リスクアセスメントは、次に掲げる時期に行うものとする。

①　**表示対象物及び通知対象物**（以下「**リスクアセスメント対象物**」という。）を原材料等として新規に採用し、又は変更するとき。

②　リスクアセスメント対象物を製造し、又は取り扱う業務に係る**作業の方法又は手順**を**新規に採用**し、又は**変更する**とき。

③　①②に掲げるもののほか、リスクアセスメント対象物による危険性又は有害性等について**変化が生じ**、又は**生ずるおそれ**があるとき。

(2)　リスクアセスメントは、リスクアセスメント対象物を製造し、又は取り扱う業務ごとに、次に掲げるいずれかの方法〔リスクアセスメントのうち危険性に係るものにあっては、①又は③（①に係る部分に限る。）に掲げる方法に限る。〕により、又はこれらの方法の併用により行わなければならない。

①　当該リスクアセスメント対象物が当該業務に従事する労働者に危険を及ぼし、又は当該リスクアセスメント対象物により当該労働者の健康障害を生ずるおそれの程度及び当該危険又は健康障害の程度を考慮する方法

②　当該業務に従事する労働者が当該リスクアセスメント対象物にさらされる程度及び当該リスクアセスメント対象物の有害性の程度を考慮する方法

③　①②に掲げる方法に準ずる方法 （則34条の2の7）

2.　リスクアセスメントの結果等の記録及び保存並びに周知

(1)　事業者は、リスクアセスメントを行ったときは、次に掲げる事項について、**記録を作成**し、次にリスクアセスメントを行うまでの期間（リスクアセスメントを行った日から起算して**3年以内**に当該リスクアセスメント対象物についてリスクアセスメントを行ったときは、**3年間**）保存するとともに、当該事項を、リスクアセスメント対象物を製造し、又は取り扱う業務に従事する**労働者に周知**させなければならない。

①　当該リスクアセスメント対象物の名称

②　当該業務の内容

③　当該リスクアセスメントの結果

④　当該リスクアセスメントの結果に基づき事業者が講ずる労働者の危険又は健康障害を防止するため必要な措置の内容

(2)　(1)の規定による周知は、次に掲げるいずれかの方法により行うものとする。

①　当該リスクアセスメント対象物を製造し、又は取り扱う各作業場の見や

すい場所に常時掲示し、又は備え付けること。

② 書面を、当該リスクアセスメント対象物を製造し、又は取り扱う業務に従事する労働者に交付すること。

③ 事業者の使用に係る電子計算機に備えられたファイル又は電磁的記録媒体をもって調製するファイルに記録し、かつ、当該リスクアセスメント対象物を製造し、又は取り扱う各作業場に、当該リスクアセスメント対象物を製造し、又は取り扱う業務に従事する労働者が当該記録の内容を常時確認できる機器を設置すること。　　　　　　　　　　　　　　　（則34条の2の8）

3. ばく露の程度の低減等

(1) 事業者は、リスクアセスメント対象物を製造し、又は取り扱う事業場において、リスクアセスメントの結果等に基づき、**労働者の健康障害を防止**するため、代替物の使用、発散源を密閉する設備、局所排気装置又は全体換気装置の設置及び稼働、作業の方法の改善、有効な呼吸用保護具を使用させること等必要な措置を講ずることにより、**リスクアセスメント対象物に労働者がばく露される程度**を**最小限度**にしなければならない。

(2) 事業者は、リスクアセスメント対象物のうち、一定程度のばく露に抑えることにより、労働者に健康障害を生ずるおそれがない物として厚生労働大臣が定めるものを製造し、又は取り扱う業務（主として一般消費者の生活の用に供される製品に係るものを除く。）を行う屋内作業場においては、当該業務に従事する労働者がこれらの物に**ばく露される程度**を、**厚生労働大臣が定める濃度の基準以下**としなければならない。

(3) 事業者は、(1)(2)により講じた措置について、関係労働者の意見を聴くための機会を設けなければならない。　　　　　　（則577条の2,1項、2項、10項）

4. リスクアセスメント対象物健康診断

(1) 事業者は、リスクアセスメント対象物を製造し、又は取り扱う業務に**常時従事する労働者**に対し、法第66条の規定による健康診断のほか、リスクアセスメント対象物に係る**リスクアセスメントの結果に基づき、関係労働者の意見を聴き、必要があると認めるときは**、医師又は歯科医師が必要と認める項目について、**医師又は歯科医師による健康診断**を行わなければならない。

(2) 事業者は、上記3.(2)の業務に従事する労働者が、厚生労働大臣が定める濃度の基準を超えてリスクアセスメント対象物にばく露したおそれがあるときは、速やかに、当該労働者に対し、医師又は歯科医師が必要と認める項目

について、**医師又は歯科医師による健康診断**を行わなければならない。

(3)　事業者は、(1)(2)の健康診断（以下「**リスクアセスメント対象物健康診断**」
という。）を行ったときは、リスクアセスメント対象物健康診断の結果に基
づき、**リスクアセスメント対象物健康診断個人票**を作成し、これを**5年間**
〔リスクアセスメント対象物健康診断に係るリスクアセスメント対象物がが
ん原性がある物として厚生労働大臣が定めるもの（以下「がん原性物質」と
いう。）である場合は、**30年間**〕保存しなければならない。

（則577条の2,3項〜5項）

5.　化学物質管理者の選任等

(1)　事業者は、リスクアセスメント対象物を製造し、又は取り扱う事業場ごと
に、**化学物質管理者**を選任し、その者に当該事業場におけるリスクアセスメ
ントの実施に関すること等、一定の**化学物質の管理に係る技術的事項**を管理
させなければならない。

(2)　事業者は、リスクアセスメント対象物の譲渡又は提供を行う**事業場**（(1)の
リスクアセスメント対象物を製造し、又は取り扱う事業場を除く。）**ごとに**、
化学物質管理者を選任し、その者に当該**事業場における表示**等及び**教育管理**
に係る**技術的事項**を管理させなければならない。

(3)　**化学物質管理者**は、化学物質管理者を選任すべき事由が発生した日から
14日以内に選任しなければならない。

(4)　事業者は、**化学物質管理者**を選任したときは、当該化学物質管理者の氏名
を事業場の見やすい箇所に掲示すること等により**関係労働者に周知**させなけ
ればならない。

（則12条の5,1項〜3項、5項）

参考（医師等からの意見聴取及びリスクアセスメント対象物健康診断の事後措置）
1．事業者は、リスクアセスメント対象物健康診断の結果（リスクアセスメント対象物健
　康診断の項目に異常の所見があると診断された労働者に係るものに限る。）に基づき、
　当該労働者の健康を保持するために必要な措置について、**リスクアセスメント対象物健**
　康診断が行われた日から3月以内に、**医師又は歯科医師の意見を聴かなければならな**
　い。
2．事業者は、1.による医師又は歯科医師の意見を勘案し、その必要があると認めると
　きは、当該労働者の実情を考慮して、就業場所の変更、作業の転換、労働時間の短縮等
　の措置を講ずるほか、作業環境測定の実施、施設又は設備の設置又は整備、衛生委員会
　又は安全衛生委員会への当該医師又は歯科医師の意見の報告その他の適切な措置を講じ
　なければならない。
3．事業者は、リスクアセスメント対象物健康診断を受けた労働者に対し、遅滞なく、リ
　スクアセスメント対象物健康診断の結果を通知しなければならない。
4．事業者は、2.の規定により講じた措置について、関係労働者の意見を聴くための機
　会を設けなければならない。
（則577条の2,6項、8項、9項、10項）

（記録の作成・保存等）

1．事業者は、次に掲げる事項（（3）については、がん原性物質を製造し、又は取り扱う業務に従事する労働者に限る。）について、**1年を超えない期間ごとに1回**、定期に、記録を作成し、当該記録を**3年間**〔(2)（リスクアセスメント対象物ががん原性物質である場合に限る。）及び(3)については、**30年間**〕保存するとともに、(1)及び(4)の事項について、リスクアセスメント対象物を製造し、又は取り扱う業務に従事する**労働者に周知**させなければならない。

(1)則第577条の2第1項、第2項及び第8項の規定により講じた措置の状況

(2)リスクアセスメント対象物を製造し、又は取り扱う業務に従事する労働者のリスクアセスメント対象物のばく露の状況

(3)労働者の氏名、従事した作業の概要及び当該作業に従事した期間並びにがん原性物質により著しく汚染される事態が生じたときはその概要及び事業者が講じた応急の措置の概要

(4)則第577条の2第10項の規定による関係労働者の意見の聴取状況

2．1．の規定による周知は、次に掲げるいずれかの方法により行うものとする。

(1)当該リスクアセスメント対象物を製造し、又は取り扱う各作業場の見やすい場所に常時掲示し、又は備え付けること。

(2)書面を、当該リスクアセスメント対象物を製造し、又は取り扱う業務に従事する労働者に交付すること。

(3)事業者の使用に係る電子計算機に備えられたファイル又は電磁的記録媒体をもって調製するファイルに記録し、かつ、当該リスクアセスメント対象物を製造し、又は取り扱う各作業場に、当該リスクアセスメント対象物を製造し、又は取り扱う業務に従事する労働者が当該記録の内容を常時確認できる機器を設置すること。

（則577条の2,11項、12項）

（リスクアセスメント対象物以外の化学物質のばく露の程度の低減措置）

事業者は、**リスクアセスメント対象物以外**の化学物質を製造し、又は取り扱う事業場において、**リスクアセスメント対象物以外**の化学物質に係る危険性又は有害性等の調査の結果等に基づき、労働者の健康障害を防止するため、代替物の使用、発散源を密閉する設備、局所排気装置又は全体換気装置の設置及び稼働、作業の方法の改善、有効な保護具を使用させること等必要な措置を講ずることにより、労働者がリスクアセスメント対象物以外の化学物質にばく露される程度を最小限度にするよう**努め**なければならない。（則577条の3）

（保護具着用管理責任者の選任等）

1．化学物質管理者を選任した事業者は、リスクアセスメントの結果に基づく措置として、**労働者に保護具を使用**させるときは、**保護具着用管理責任者を選任**し、次に掲げる事項を管理させなければならない。

(1)保護具の適正な選択に関すること。

(2)労働者の保護具の適正な使用に関すること。

(3)保護具の保守管理に関すること。

2．保護具着用管理責任者は、選任すべき事由が発生した日から**14日以内**に、保護具に関する知識及び経験を有すると認められる者のうちから**選任**しなければならない。

3．事業者は、保護具着用管理責任者を選任したときは、当該**保護具着用管理責任者の氏名**を事業場の見やすい箇所に掲示すること等により**関係労働者に周知**させなければならない。

（則12条の6,1項、2項、4項）

❻ 表示対象物及び通知対象物以外の調査等
（法28条の2,1項、則24条の11）重要度 A

★★★

Ⅰ **事業者**は、厚生労働省令で定めるところにより、建設物、設備、原材料、ガス、蒸気、粉じん等による、又は作業行動その他業務に起因する**危険性又は有害性等**（第57条第1項の政令で定める物 [**表示対象物**] 及び第57条の2第1項に規定する**通知対象物**による**危険性又は有害性等を除く**。）を調査し、その結果に基づいて、労働安全衛生法又は同法に基づく命令の規定による措置を講ずるほか、労働者の危険又は健康障害を防止するため必要な措置を講ずるように**努めなければならない**。ただし、当該調査のうち、化学物質、化学物質を含有する製剤その他の物で労働者の危険又は健康障害を生ずるおそれのあるものに係るもの以外のものについては、製造業その他厚生労働省令で定める業種 [安全管理者を選任しなければならない業種] に属する事業者に限る。 H29-選D R3-8C

Ⅱ Ⅰの危険性又は有害性等の調査は、次に掲げる時期に行うものとする。

i 建設物を設置し、移転し、変更し、又は解体するとき。

ii 設備、原材料等を新規に採用し、又は変更するとき。

iii 作業方法又は作業手順を新規に採用し、又は変更するとき。 R3-8C

iv i ii iii に掲げるもののほか、建設物、設備、原材料、ガス、蒸気、粉じん等による、又は作業行動その他業務に起因する危険性又は有害性等について変化が生じ、又は生ずるおそれがあるとき。

参考 (改善の指示等)
1. **労働基準監督署長**は、化学物質による**労働災害が発生した**、又は**そのおそれがある事業場**の事業者に対し、当該事業場において化学物質の管理が適切に行われていない疑いがあると認めるときは、当該事業場における化学物質の管理の状況について改善すべき旨を**指示**することができる。
2. 1.の指示を受けた事業者は、遅滞なく、事業場における化学物質の管理について必要な知識及び技能を有する者として厚生労働大臣が定めるもの（以下「**化学物質管理専門家**」という。）から、当該事業場における化学物質の管理の状況についての確認及び当該事業場が実施し得る望ましい改善措置に関する**助言**を受けなければならない。
3. 2.の確認及び助言を求められた化学物質管理専門家は、2.の事業者に対し、当該事業場における化学物質の管理の状況についての確認結果及び当該事業場が実施し得る望ましい改善措置に関する助言について、速やかに、書面により通知しなければならな

い。
4．事業者は、3.の通知を受けた後、**1月以内**に、当該通知の内容を踏まえた改善措置を実施するための**計画**を作成するとともに、当該計画作成後、速やかに、当該計画に従い必要な**改善措置を実施**しなければならない。
5．事業者は、4.の計画を作成後、遅滞なく、当該計画の内容について、3.の通知及び4.の計画の写しを添えて、**改善計画報告書**により、所轄労働基準監督署長に**報告**しなければならない。
6．事業者は、4.の規定に基づき実施した**改善措置の記録を作成**し、当該記録について、3.の通知及び4.の計画とともに**3年間保存**しなければならない。　　（則34条の2の10）

危険・有害性が不明である物質に関する規制

❶ 新規化学物質の有害性の調査
（法57条の4,1項本文、2項～5項）重要度 B

★★

Ⅰ　**化学物質**による**労働者の健康障害**を**防止**するため、**既存の化学物質として政令で定める化学物質**（Ⅲの規定によりその**名称**が**公表**された**化学物質**を含む。）以外の**化学物質**（以下「**新規化学物質**」という。）を**製造**し、又は**輸入**しようとする**事業者**は、**あらかじめ**、厚生労働省令で定めるところにより、**厚生労働大臣の定める基準**に従って有害性の調査（当該**新規化学物質**が労働者の健康に与える影響についての調査をいう。）を行い、当該**新規化学物質**の名称、有害性の調査の結果その他の事項を**厚生労働大臣**に届け出なければならない。

R3-8D

Ⅱ　**有害性の調査**を行った**事業者**は、その結果に基づいて、当該**新規化学物質**による**労働者の健康障害**を**防止**するため**必要な措置**を速やかに**講じなければならない**。

Ⅲ　**厚生労働大臣**は、Ⅰの規定による**届出**があった場合（❷「**調査の省略**」ⅱの規定による**確認**をした場合を含む。）には、厚生労働省令で定めるところにより、当該**新規化学物質**の**名称**を**公表**するものとする。

Ⅳ　**厚生労働大臣**は、Ⅰの規定による**届出**があった場合には、厚生労働省令で定めるところにより、**有害性の調査の結果**について**学識経験者の意見を聴き**、当該届出に係る**化学物質**による**労働者の健康障害**を**防止**するため**必要**があると認めるときは、届出をした**事業者**に対し、**施設又は設備の設置又は整備、保護具の備付け**その他の**措置**を講ずべきことを**勧告**することができる。

Ⅴ　Ⅳの規定により**有害性の調査の結果**について**意見**を求められた**学識経験者**は、当該有害性の調査の結果に関して知り得た秘密を漏ら

してはならない。ただし、**労働者の健康障害**を**防止**するためやむを得ないときは、この限りでない。

趣旨

上記は、昭和52年の労働安全衛生法改正により、職業性疾病対策の充実強化の1つとして設けられたものである。同改正で、化学物質の有害性の調査を積極的に進めるため、新規の化学物質については、上記により、製造・輸入の段階で簡易な有害性の調査を事業者に義務付けることとされた。

参考（新規化学物質の名称の公表）
厚生労働大臣は、新規化学物質の有害性の調査を行った事業者からその名称、調査結果等の届出があった場合には、原則として当該届出の受理後**1年以内**に、当該新規化学物質の名称を公表するものとされており、当該公表は**3月以内**ごとに1回、定期に、インターネットの利用その他の適切な方法により行うものとされている。 **改正**　　（則34条の14）

（労働政策審議会への報告）
厚生労働大臣は、新規化学物質の有害性の調査の結果について学識経験者の意見を聴いたときは、その内容を、新規化学物質の名称の公表後1年以内に、労働政策審議会に報告するものとする。 （則34条の17）

問題チェック H9-9E改題

事業者は、新規化学物質の名称、有害性の調査結果等を厚生労働大臣に届け出なければならないこととされており、この場合、事業者は、当該新規化学物質の名称がインターネットの利用その他の適切な方法により公表されるまでは、当該新規化学物質を製造し、又は輸入することができない。

解答 ✕ 　　　　　　　　　　　　　　　　法57条の4,1項、昭和54.3.23基発132号

新規化学物質の届出を行った事業者は、厚生労働大臣による名称の公表前であっても当該新規化学物質を製造し、又は輸入することができる。

---

② 調査の省略 （法57条の4,1項ただし書、令18条の4、則34条の9、則34条の13）重要度 B ★★

次のいずれかに該当するときは、**事業者**は、**有害性の調査**を行わなくてもよい。

i　当該**新規化学物質**に関し、当該**新規化学物質**について**予定**され

ている**製造又は取扱いの方法**等からみて**労働者**が当該**新規化学物質にさらされるおそれがない**旨の**厚生労働大臣の確認**を受けたとき。

ii 当該**新規化学物質**に関し、**既に得られている知見**等に基づき厚生労働省令で定める**有害性（がん原性）がない**旨の**厚生労働大臣の確認**を受けたとき。

iii 当該**新規化学物質**を**試験研究**のため**製造**し、又は**輸入**しようとするとき。

iv 当該**新規化学物質**が**主として一般消費者の生活の用に供される製品**（当該**新規化学物質**を含有する製品を含む。）として**輸入**される場合で、**本邦の地域内**において**労働者**に**小分け、詰め替え**等の作業を行わせないとき等**労働者**が**新規化学物質にさらされるおそれがない**とき。

v 当該**新規化学物質**について、**一の事業場**における**1年間の製造量又は輸入量**が**100キログラム以下**である旨の**厚生労働大臣**の確認を受け、確認を受けたところに従って当該**新規化学物質**を**製造**し、又は**輸入**しようとするとき。

Check Point!

□ 上記 i ii v の確認を受けようとする者は、当該確認に基づき最初に新規化学物質を製造し、又は輸入する日の**30日前**までに申請書を厚生労働大臣に提出しなければならない。

□ 厚生労働大臣は、上記 ii の確認をした場合は、当該新規化学物質の名称を、確認をした後1年以内に公表するものとされている。

（則34条の5、則34条の8、則34条の10、則34条の14,1項）

参考（既に得られている知見等）
「既に得られている知見等」とは、新規化学物質の有害性の調査に関して学会誌等に公表されている報告であって信頼できる調査結果のほか、未公開であっても信頼できる調査結果であれば、これを含むものである。　　　　　　　　（昭和54.3.23基発132号）

（少量新規化学物質の製造・輸入に係る厚生労働大臣の確認）
上記 v の少量新規化学物質の製造・輸入に係る厚生労働大臣の確認は、2年を限り有効とされている。　　　　　　　　　　　　　　　　　　　　　　　（則34条の11）

❸ 有害性の調査の指示
（法57条の5,1項、3項、4項） B ★★

> Ⅰ　厚生労働大臣は、**化学物質**で、**がんその他の重度の健康障害を労働者**に**生ずるおそれ**のあるものについて、当該**化学物質**による**労働者の健康障害を防止**するため**必要**があると認めるときは、**あらかじめ**、学識経験者の**意見を聴いた**うえで、当該**化学物質**を**製造し、輸入し、又は使用**している**事業者**その他厚生労働省令で定める**事業者**に対し、**有害性の調査を行い、その結果を報告すべきことを指示することができる。** R3-8E
>
> Ⅱ　Ⅰの**有害性の調査**を行った事業者は、その**結果**に基づいて、当該**化学物質**による**労働者の健康障害を防止**するため**必要な措置を速やかに講じなければならない。**

趣旨

　上記は、がん原性が疑われているが、がん原性物質と確定するには、いまだデータ不足である化学物質について、厚生労働大臣が事業者にがん原性の試験の実施を指示することができる趣旨である。

（昭和54.3.23基発132号）

参考（労働政策審議会への報告）
厚生労働大臣は、化学物質の有害性の調査の結果について事業者から報告を受けたときは、その内容を当該報告を受けた後1年以内に、労働政策審議会に報告するものとする。

（則34条の21）

第4章

就業管理

就業制限等

❶ 就業制限（法61条、法77条1項、3項）重要度 A ★★★

Ⅰ　**事業者**は、**クレーンの運転その他の業務**で、政令で定めるものについては、**都道府県労働局長**の当該**業務に係る免許を受けた者**又は**都道府県労働局長の登録を受けた者（登録教習機関）が行う**当該**業務に係る技能講習を修了した者**その他厚生労働省令で定める**資格**を有する者でなければ、当該**業務に就かせてはならない**。

Ⅱ　Ⅰの規定により当該**業務に就くことができる者**以外の者は、当該**業務を行なってはならない**。

Ⅲ　Ⅰの規定により当該**業務に就くことができる者**は、当該**業務に従事**するときは、これに係る**免許証**その他その**資格を証する書面を携帯していなければならない**。

Ⅳ　職業能力開発促進法の認定に係る**職業訓練**を受ける**労働者**について**必要**がある場合においては、その**必要の限度**で、ⅠからⅢの規定について、厚生労働省令で別段の定めをすることができる。

趣旨

　上記は、重大な災害の防止のために、一定の危険な作業を伴う業務を就業制限業務とし、これらの業務については、一定の資格を有する者でなければ就業させてはならないこととしたものである。

┃Check Point!┃

　就業制限業務に就くことができる資格については、次の3つに大別される。

☐ 都道府県労働局長の免許を受けた者

☐ 登録教習機関（都道府県労働局長の登録を受けた者）が行う技能講習を修了した者

☐ その他厚生労働省令で定める一定の資格を有する者

■就業制限業務とその業務に就くことができる者（主なもの）

業務の区分	必要な資格
発破の場合におけるせん孔等の業務	発破技士免許・火薬類取扱保安責任者免状等
大型ボイラー取扱業務	特級ボイラー技士免許 １級ボイラー技士免許 ２級ボイラー技士免許
中型ボイラー取扱業務	特級ボイラー技士免許 １級ボイラー技士免許 ２級ボイラー技士免許 ボイラー取扱技能講習修了
大型ボイラー・第１種圧力容器溶接業務	特別ボイラー溶接士免許 普通ボイラー溶接士免許（溶接部の厚さが一定以下の場合等）
大型ボイラー・第１種圧力容器整備業務	ボイラー整備士免許
つり上げ荷重５トン以上のクレーン（跨線テルハ及び床上操作式クレーンを除く）運転業務・つり上げ荷重５トン以上のデリック運転業務	クレーン・デリック運転士免許
つり上げ荷重５トン以上の床上操作式クレーン運転業務 H28-10C	クレーン・デリック運転士免許 床上操作式クレーン運転技能講習修了
つり上げ荷重５トン以上の移動式クレーン運転（道路上の走行運転を除く）業務 H28-10D	移動式クレーン運転士免許
つり上げ荷重１トン以上５トン未満の小型移動式クレーン運転（道路上の走行運転を除く）業務	移動式クレーン運転士免許 小型移動式クレーン運転技能講習修了
制限荷重１トン以上の揚貨装置又はつり上げ荷重１トン以上のクレーン、移動式クレーン、デリックの玉掛け業務	玉掛け技能講習修了 玉掛けの職業訓練修了 その他厚生労働大臣が定める者
最大荷重１トン以上のフォークリフトの運転（道路上の走行運転を除く）業務 H27-選E H28-10A	フォークリフト運転技能講習修了 一定の職業訓練修了者で、フォークリフトについての訓練を受けたもの その他厚生労働大臣が定める者
最大荷重１トン以上のショベルローダー、フォークローダーの運転（道路上の走行運転を除く）業務	ショベルローダー等運転技能講習修了 一定の職業訓練修了者で、ショベルローダー等についての訓練を受けたもの その他厚生労働大臣が定める者
最大積載量１トン以上の不整地運搬車の運転（道路上の走行運転を除く）業務	不整地運搬車運転技能講習修了 建設機械施工管理技術検定合格 その他厚生労働大臣が定める者
作業床の高さが10メートル以上の高所作業車の運転（道路上の走行運転を除く）業務 H28-10E	高所作業車運転技能講習修了 その他厚生労働大臣が定める者 （現在のところ定めなし）

（令20条、則別表第３）

第4章

―**問題チェック** H28-10B―――――――――――――――――

　建設機械の一つである機体重量が3トン以上のブル・ドーザーの運転（道路上を走行させる運転を除く。）の業務に係る就業制限は、<u>建設業以外の事業を行う事業者</u>には適用されない。

解答 ✕　　　　　　　　　　　　　　　　法61条1項、令20条12号、令別表第7

　設問の業務に係る就業制限は、建設業に限られていない（建設業以外の事業を行う事業者にも適用される。）。

❷ 免許 重要度 A

1 免許試験（法75条1項〜3項、法77条1項、3項） ★★★

> Ⅰ　**免許試験**は、厚生労働省令で定める区分ごとに、**都道府県労働局長**が行う。
>
> Ⅱ　**免許試験**は、**学科試験**及び**実技試験**又はこれらのいずれかによって行う。
>
> Ⅲ　都道府県労働局長は、都道府県労働局長の登録を**受けた者**（**登録教習機関**）が行う**教習**を**修了**した者でその**修了**した日から起算して**1年を経過しない**ものその他厚生労働省令で定める**資格を有する者**に対し、**学科試験**又は**実技試験**の**全部又は一部を免除することができる。**

▌Check Point!

☐ 登録教習機関の行う教習としては、揚貨装置運転実技教習、クレーン運転実技教習及び移動式クレーン運転実技教習がある。　　　　　　（法別表第17）

2 免許証の交付（法72条1項） ★★★

> **免許**は、第75条第1項の**免許試験**に合格した者その他厚生労働省令で定める**資格を有する者**に対し、**免許証**を**交付**して行う。

概要

1. 免許は、免許証を交付して行う。この場合において、同一人に対し、日を同じくして2以上の種類の免許を与えるときは、1の種類の免許に係る免許証に他の種類の免許に係る事項を記載して、当該種類の免許に係る免許証の交付に代えるものとする。

2. 免許を現に受けている者に対し、当該免許の種類と異なる種類の免許を与えるときは、その異なる種類の免許に係る免許証にその者が現に受けている免許に係る事項（その者が現に受けている免許の中にその異なる種類の免許の下級の資格についての免許がある場合にあっては、当該下級の資格についての免許に係る事項を除く。）を記載して、その者が現に有する免許証と引換えに交付するものとする。

（則66条の2,1項、2項）

③ 免許の欠格事由 （法72条2項〜4項） ★★★

Ⅰ 次のいずれかに該当する者には、**免許を与えない**。

　　i 第74条第2項の**免許の取消等**の規定により**免許**を**取り消され**、その**取消しの日**から起算して**1年を経過しない者**（**衛生管理者免許**及び**作業主任者免許以外の免許**について**心身の障害**により当該**免許**に係る**業務**を**適正に行うことができない者**として厚生労働省令で定めるものとなったことにより**取り消された者を除く。**）

　　ii **免許の種類**に応じて、厚生労働省令で定める者

Ⅱ 第61条第1項の免許［**衛生管理者免許**及び**作業主任者免許以外の免許**］については、**心身の障害**により当該**免許に係る業務**を**適正に行うことができない者**として厚生労働省令で定めるものには、**免許を与えないことがある。**

Ⅲ **都道府県労働局長**は、Ⅱの規定により**免許を与えないこととする**ときは、**あらかじめ**、当該**免許**を**申請した者**にその旨を**通知**し、その求めがあったときは、**都道府県労働局長**の**指定する職員**にその**意見を聴取させなければならない。**

概要

　上記Ⅰⅰは、⑤「**免許の取消等**」Ⅱⅰⅲⅳⅴのいずれかに該当する者を指す。

　また、上記Ⅰⅱの「免許の種類に応じて、厚生労働省令で定める者」に該当する者（免許を与えない者）には、次のようなものがある。

- **高圧室内作業主任者免許**については、**満20歳に満たない者**
- ガス溶接作業主任者免許、ボイラー技士（溶接士・整備士）免許、（移動式）クレーン・デリック運転士免許、エックス線作業主任者免許等については、**満18歳に満たない者**

（高圧則48条、ボイラー則98条、105条、114条、クレーン則224条、電離則49条他）

4 免許の有効期間 （法73条）

★★★

Ⅰ　**免許**には、**有効期間**を設けることができる。

Ⅱ　**都道府県労働局長**は、**免許**の**有効期間**の**更新**の**申請**があった場合には、当該**免許**を受けた者が厚生労働省令で定める要件に該当するときでなければ、当該**免許**の**有効期間**を**更新してはならない**。

概要

　特別ボイラー溶接士免許及び**普通ボイラー溶接士免許**については、**2年**の有効期間が定められており、有効期間を更新※していくことが必要となる。

> ※　ボイラー溶接士免許は、当該免許の有効期間の満了前1年間にボイラー又は第1種圧力容器を溶接し、かつ、当該免許の有効期間中に溶接したボイラー又は第1種圧力容器のすべてが所定の溶接検査又は変更検査に合格している場合その他技能の低下が認められない場合に更新される。

（ボイラー則107条1項、2項）

▌Check Point!

☐　ボイラー溶接士免許以外の免許には有効期間の定めはない。

5 免許の取消等 (法74条) ★★

I 　都道府県労働局長は、**免許を受けた者**が第72条第2項第2号の**免許の欠格事由**に該当するに至ったときは、その**免許**を**取り消さなければならない**。

II 　都道府県労働局長は、**免許を受けた者**が次のiからvのいずれかに該当するに至ったときは、その**免許を取り消し**、又は期間（i、ii、iv又はvに該当する場合にあっては、**6月を超えない範囲内の**期間）を定めてその**免許の効力を停止**することができる。

　i 　**故意又は重大な過失**により、当該**免許に係る業務**について**重大な事故を発生**させたとき。

　ii 　当該**免許に係る業務**について、労働安全衛生法又は同法に基づく命令の規定に**違反**したとき。

　iii 　当該**免許**が第61条第1項の免許［衛生管理者免許及び作業主任者免許以外の免許］である場合にあっては、**心身の障害**により当該**免許に係る業務を適正に行うことができない者**として厚生労働省令で定めるものとなったとき。

　iv 　第110条第1項の条件［許可等の条件］に**違反**したとき。

　v 　iからivのほか、**免許の種類**に応じて、厚生労働省令で定めるとき。

III 　II iiiに該当し、**免許を取り消された者**であっても、その者がその**取消しの理由**となった事項に該当しなくなったとき、その他その後の事情により**再び免許を与えるのが適当**であると認められるに至ったときは、**再免許を与えることができる**。

概要

免許の取消しについてまとめると、次の通りとなる。

事由	取消し等	再免許
ⅰ　法第72条第2項第2号（ ③ 免許の欠格事由ⅰⅱ）に該当するに至ったとき（例えば、満20歳未満の者が偽って高圧室内作業主任者免許を取得した場合）	都道府県労働局長はその免許を**取り消さなければならない。**	
ⅱ　故意又は重大な過失により当該免許に係る業務について重大な事故を発生させたとき		
ⅲ　当該免許に係る業務について労働安全衛生法又は同法に基づく命令の規定に違反したとき	都道府県労働局長は、その免許を取り消し、又は**6月を超えない範囲内の期間を定めてその免許の効力を停止することができる。**	
ⅳ　法第110条第1項［許可等の条件］に違反したとき		
ⅴ　例えば、以下に該当するとき ・免許試験の受験についての不正その他の行為があったとき ・免許証を他人に譲渡し、又は貸与したとき ・免許を受けた者から当該免許の取消しの申請があったとき		
ⅵ　取得した免許が衛生管理者免許及び作業主任者免許以外の免許である場合で、心身の障害により当該免許に係る業務を適正に行うことができないものとして厚生労働省令で定めるものとなったとき	都道府県労働局長は、その**免許を取り消し、又は期間を定めてその免許の効力を停止することができる。**	ⅵに該当し、免許を取り消されたものであっても、その者がその取消し理由となった事項に該当しなくなったとき、その他その後の事情により再び免許を与えるのが適当であると認められるに至ったときは、再免許を与えることができる。

▌Check Point!▶

☐　満20歳に満たない者が偽って高圧室内作業主任者免許を取得した場合、都道府県労働局長は、その免許を取り消さなければならない。

参考 免許を受けた者は、当該免許の取消しの申請をしようとするときは、免許取消申請書を免許証の交付を受けた都道府県労働局長又はその者の住所を管轄する都道府県労働局長に提出しなければならない。

(則67条の2)

❸ 技能講習 （法76条1項、2項、則81条） 重要度 **B** ★★

Ⅰ **技能講習**は、別表第18に掲げる区分ごとに、**学科講習又は実技講習**によって行う。

Ⅱ **技能講習**を行った**登録教習機関**は、当該**講習を修了**した者に対し、**遅滞なく、技能講習修了証を交付**しなければならない。

概要

技能講習は学科講習のみによって行うものが多いが、次のようなものについては学科講習及び実技講習によって行われる。

・酸素欠乏危険作業主任者技能講習／酸素欠乏・硫化水素危険作業主任者技能講習

・**フォークリフト運転技能講習**／ショベルローダー等運転技能講習／車両系建設機械運転技能講習／不整地運搬車運転技能講習／高所作業車運転技能講習／床上操作式クレーン運転技能講習／小型移動式クレーン運転技能講習

・玉掛け技能講習／ガス溶接技能講習　　　　　(法別表第18、則別表第6他)

技能講習を受けようとする者は、技能講習受講申込書を当該技能講習を行う登録教習機関に提出しなければならない。

(則80条)

❹ 中高年齢者等についての配慮 （法62条） 重要度 **B** ★★

事業者は、**中高年齢者**その他**労働災害の防止**上その**就業**に当たって**特に配慮**を必要とする者については、これらの者の**心身の条件**に応じて**適正な配置**を行なうように**努めなければならない**。 R3-選D

Check Point!

□ 本条の「その他労働災害の防止上その就業に当たって特に配慮を必要とする者」には、身体障害者、出稼労働者等がある。 (昭和47.9.18基発602号)

安全衛生教育

❶ 種類等 [重要度 B] ★★

安全衛生教育には、次の3種類がある。
i 　雇入れ時・作業内容変更時の教育
ii 　特別教育
iii 　職長教育

|Check Point!|

□ 安全衛生教育時間は労働時間である（所定労働時間内に行われるのを原則とし、法定労働時間外に行われた場合には割増賃金が支払われなければならない。）。また、特別教育や職長教育を企業外で行う場合（労働災害防止団体等が行う講習に参加させる場合等）の講習会費、講習旅費等についても事業者が負担しなければならない。 R2-10C （昭和47.9.18基発602号）

□ 安全衛生教育の対象労働者は、「常時使用する労働者」に限られない（臨時的な労働者も対象となる。）。 R2-10A

❷ 雇入れ時・作業内容変更時の教育 （法59条1項、2項） [重要度 A] ★★★

I 　**事業者**は、**労働者**を**雇い入れた**ときは、当該**労働者**に対し、その従事する業務に関する**安全又は衛生のための教育**を行なわなければならない。 R2-10A

II 　Iの規定は、**労働者の作業内容を変更した**ときについて準用する。 R2-10B R4-選D

趣旨

上記IIの「作業内容を変更したとき」とは、異なる作業に転換をしたとき

や作業設備、作業方法等について大幅な変更があったときをいい、これらについての軽易な変更があったときは含まない趣旨である。（昭和47.9.18基発602号）

▌Check Point!▶

□ 雇入れ時・作業内容変更時の教育は、規模や業種や業務や労働者の如何にかかわらず必ず実施しなければならない。

---

1. 教育項目

事業者は、労働者を雇い入れ、又は労働者の作業内容を変更したときは、当該労働者に対し、遅滞なく、次の事項のうち当該労働者が従事する業務に関する安全又は衛生のため必要な事項について、教育を行なわなければならない。

(1) 機械等、原材料等の**危険性**又は**有害性**及びこれらの取扱い方法に関すること。

(2) 安全装置、有害物抑制装置又は**保護具の性能**及びこれらの取扱い方法に関すること。

(3) **作業手順**に関すること。

(4) 作業開始時の**点検**に関すること。

(5) 当該業務に関して発生するおそれのある疾病の**原因**及び**予防**に関すること。

(6) 整理、整頓及び**清潔の保持**に関すること。

(7) 事故時等における**応急措置**及び**退避**に関すること。

(8) その他当該業務に関する**安全又は衛生**のために必要な事項 （則35条1項）

2. 教育の省略

1.の(1)から(8)の事項の全部又は一部に関し十分な知識及び技能を有していると認められる労働者については、当該事項についての教育を省略することができる。 （則35条2項）

3. 記録の保存等

記録の作成義務や保存義務は規定されていない。

❸ 特別教育 (法59条3項) 重要度 A

★★★

事業者は、危険又は有害な業務で、厚生労働省令で定めるものに労働者をつかせるときは、当該業務に関する安全又は衛生のための特別の教育を行なわなければならない。 R2-10D

▌Check Point!▶

□ 安全衛生教育のうち、特別教育についてのみ記録の保存義務が定められている。

1. 対象業務

特別教育を必要とする業務は、則第36条に掲げられている。そのうちの主なものをあげると次のとおりである。

(1) 小型ボイラーの取扱いの業務

(2) つり上げ荷重が5トン未満のクレーン若しくはデリック又はつり上げ荷重が5トン以上の跨線テルハの運転業務

(3) つり上げ荷重が1トン未満の移動式クレーンの運転（道路上の走行運転を除く。）業務

(4) つり上げ荷重が1トン未満のクレーン、移動式クレーン又はデリックの玉掛けの業務

(5) **建設用リフトの運転又はゴンドラの操作の業務**

(6) **最大荷重1トン未満のフォークリフト**、ショベルローダー、フォークローダーの運転（道路上の走行運転を除く。）業務 R2-10D

(7) 最大積載量1トン未満の不整地運搬車の運転（道路上の走行運転を除く。）業務

(8) 動力により駆動されるプレス機械の金型、安全装置の取付け、取外し又は調整の業務

(9) 対地電圧が50ボルトを超える蓄電池を内蔵する自動車の整備の業務 改正

(10) テールゲートリフター（貨物自動車の荷台の後部に設置された動力により駆動されるリフトをいう。）の操作の業務（当該貨物自動車に荷を積む作業又は当該貨物自動車から荷を卸す作業を伴うものに限る。）

(11) 研削といしの取替え又は取替え時の試運転の業務

(12) **廃棄物の焼却施設に設置された廃棄物焼却炉、集じん機等の設備の保守点**

検等の業務

⒀　石綿等が使用されている建築物、工作物又は鋼製の船舶（それぞれ解体等の作業に係る部分に限る。）の解体等の作業に係る業務

⒁　高さが２メートル以上の箇所であって作業床を設けることが困難なところにおいて、昇降器具を用いて、労働者が当該昇降器具により身体を保持しつつ行う作業（40度未満の斜面における作業を除く。「ロープ高所作業」という。）に係る業務

（則36条）

2.　教育の科目等

　特別教育における教育の科目、範囲及び時間については、業務の種類に応じて、厚生労働省令又は告示により定められている。

　【例】廃棄物の焼却施設に関する業務に係る特別教育であれば、厚生労働省令（則592条の７）に特別教育の科目が、告示（安全衛生特別教育規程）に当該科目ごとの教育の範囲及び時間が、それぞれ定められている。

3.　教育の省略

　事業者は、特別教育の科目の全部又は一部について十分な知識及び技能を有していると認められる労働者については、当該科目についての特別教育を省略することができる。

（則37条）

4.　記録の保存等

　事業者は、特別教育を行なったときは、当該特別教育の受講者、科目等の記録を作成して、これを**3年間保存**しておかなければならない。

　また、**通常は、具体的な安全衛生教育に関する計画の作成義務や安全衛生教育の報告の義務はない**※。

（則38条）

　※　次の 参考 （則40条の３）に規定する「指定事業場等」に該当する場合には、報告義務が発生する。

参考（指定事業場等における安全衛生教育の計画及び実施結果報告）
　指定事業場（特殊化学設備を設置する事業場であって所轄都道府県労働局長が指定するもの）又は所轄都道府県労働局長が労働災害の発生率等を考慮して指定する事業場においては、法第59条又は法第60条の規定に基づく安全又は衛生のための教育（特別教育及び職長教育）に関する具体的な計画を作成しなければならない。また、この場合は、事業者は４月１日から翌年３月31日までに行った当該教育の実施結果を毎年４月30日までに所轄労働基準監督署長に報告しなければならない。

（則40条の３）

問題チェック H8-9D

　動力により駆動されるプレス機械を用いて物の加工を行う業務に労働者をつかせるときは、安全のための特別の教育を行わなければならない。

解答 ✕　　　　　　　　　　　　　　　　　　　　　法59条3項、則36条2号

　特別教育を行う必要があるのは、動力により駆動されるプレス機械の金型、シャーの刃部又はプレス機械若しくはシャーの安全装置若しくは安全囲いの取付け、取外し又は調整の業務である。

④ 職長教育（法60条、則40条1項）🅰 ★★★

I　**事業者**は、その**事業場の業種**が政令で定めるものに該当するときは、**新たに職務につくこととなった職長**その他の**作業中の労働者**を**直接指導又は監督する者**（作業主任者を除く。）に対し、次の事項について、**安全又は衛生**のための**教育**を行なわなければならない。

R2-10E

　i　**作業方法の決定**及び**労働者の配置**に関すること。
　ii　**労働者**に対する**指導又は監督の方法**に関すること。
　iii　i ii に掲げるもののほか、**労働災害を防止**するため**必要な事項**で、厚生労働省令で定めるもの
II　I iii の厚生労働省令で定める事項は、次のとおりとする。
　i　法第28条の2第1項又は第57条の3第1項及び第2項の**危険性又は有害性等の調査及びその結果に基づき講ずる措置**に関すること。
　ii　**異常時等**における**措置**に関すること。
　iii　その他現場監督者として行うべき**労働災害防止活動**に関すること。

Check Point!

□　雇入れ時・作業内容変更時の教育及び特別教育の規定違反については罰則の定めがあるが、職長教育の規定違反については罰則の定めがない。

1．対象業種

職長教育を行わなければならない業種は、次のとおりである。

（1）**建設業**
（2）**製造業**。ただし、次に掲げるものを除く。R2-10E
　①　たばこ製造業

②　繊維工業（紡績業及び染色整理業を除く。）

③　衣服その他の繊維製品製造業

④　紙加工品製造業（セロファン製造業を除く。）

(3)　**電気業**

(4)　**ガス業**

(5)　**自動車整備業**

(6)　**機械修理業**

（令19条）

2.　教育事項及び教育時間

　職長教育における教育事項及び教育時間は、厚生労働省令で規定されており、次表左欄の事項につき、右欄に掲げる時間以上行わなければならない。

教育事項	時間
作業方法の決定及び労働者の配置に関すること (1)　作業手順の定め方 (2)　労働者の適正な配置の方法	2 時間
労働者に対する指導又は監督の方法に関すること (1)　指導及び教育の方法 (2)　作業中における監督及び指示の方法	2.5時間
危険性又は有害性等の調査及びその結果に基づき講ずる措置に関すること (1)　危険性又は有害性等の調査の方法 (2)　危険性又は有害性等の調査の結果に基づき講ずる措置 (3)　設備、作業等の具体的な改善の方法	4 時間
異常時等における措置に関すること (1)　異常時における措置 (2)　災害発生時における措置	1.5時間
その他現場監督者として行うべき労働災害防止活動に関すること (1)　作業に係る設備及び作業場所の保守管理の方法 (2)　労働災害防止についての関心の保持及び労働者の創意工夫を引き出す方法	2 時間

（則40条2項）

3.　教育の省略

　作業主任者には職長教育を行う必要がない。また、**教育事項**の**全部又は一部**について**十分な知識及び技能を有している**と認められる者については、当該事項に関する教育を省略することができる。

（法60条、則40条3項）

4.　記録の保存等

　記録の作成及び保存義務については特に規定されていない。また、**通常は、具体的な安全衛生教育に関する計画の作成義務や安全衛生教育の報告の義務はない。**

参考（報告義務）
　　則第40条の3に規定する指定事業場等に該当する場合は、特別教育の場合と同様の報告義務が発生する。

（則40条の3）

（職長教育の方式）
職長教育は、講義方式ではなく、討議方式で行うのが原則とされている。

（昭和47.9.18基発601号の1）

❺ 教育の努力義務 （法60条の2）　[B]　★★

> Ⅰ　**事業者**は、第59条及び第60条［安全衛生教育］に定めるもののほか、その**事業場**における**安全衛生の水準の向上**を図るため、**危険又は有害な業務**に**現に就いている者**に対し、その**従事する業務**に関する**安全又は衛生**のための**教育**を行うように**努めなければならない。**
>
> Ⅱ　**厚生労働大臣**は、Ⅰの**教育の適切かつ有効な実施を図る**ため必要な**指針**を**公表**するものとする。
>
> Ⅲ　**厚生労働大臣**は、Ⅱの**指針**に従い、**事業者又はその団体**に対し、**必要な指導等**を**行うことができる。**

第5章

健康の保持増進の
ための措置

第5章 第1節

作業環境測定

作業環境測定

❶ 作業環境測定の実施（法65条）重要度 A ★★★

Ⅰ　**事業者**は、**有害な業務**を行う**屋内作業場その他の作業場**で、政令
で定めるものについて、**厚生労働大臣**の定める**作業環境測定基準**に
従って、必要な**作業環境測定**を行い、及びその**結果を記録**しておか
なければならない。

Ⅱ　**厚生労働大臣**は、Ⅰの規定による**作業環境測定**の**適切かつ有効な**
実施を図るため必要な**作業環境測定指針**を**公表**するものとする。

Ⅲ　**厚生労働大臣**は、Ⅱの**作業環境測定指針**を**公表**した場合において
必要があると認めるときは、**事業者**若しくは**作業環境測定機関**又は
これらの**団体**に対し、当該**作業環境測定指針**に関し**必要な指導等**を
行うことができる。

Ⅳ　**都道府県労働局長**は、**作業環境の改善**により**労働者の健康を保持**
する**必要**があると認めるときは、**労働衛生指導医**※**の意見**に基づき、
事業者に対し、**作業環境測定の実施**その他**必要な事項**を**指示するこ**
とができる。

※　都道府県労働局に置かれる非常勤の国家公務員である。

概要

　作業環境測定を行わなければならない作業場、測定回数及び記録の保存期
間は、次表のとおりである。

対象作業場	測定回数	記録保存期間
① 酸素欠乏危険場所における作業場	その日の作業を開始する前	3年間
② 暑熱、寒冷又は多湿の屋内作業場	半月以内ごとに1回	
③ 坑内の作業場のうち一定のもの	半月（一部は1月）以内ごとに1回	
④ 中央管理方式の空気調和設備を設けている事務室	2月以内ごとに1回	
⑤ 放射線業務を行う作業場のうち一定のもの	1月（一部は6月）以内ごとに1回	5年間
⑥ 一定の粉じんを著しく発散する屋内作業場	6月以内ごとに1回	7年間
⑦ 一定の特定化学物質を製造し又は取り扱う屋内作業場・コークス製造の作業場・石綿等を取り扱い若しくは試験研究のため製造する屋内作業場又は石綿分析用試料等を製造する屋内作業場		3年間（ベリリウム、塩化ビニル、クロム酸、ホルムアルデヒド等は30年間、石綿等は40年間）
⑧ 一定の有機溶剤を製造し又は取り扱う屋内作業場		3年間
⑨ 著しい騒音を発する屋内作業場		
⑩ 鉛業務のうち一定のものを行う屋内作業場	1年以内ごとに1回	

　表中⑤（放射性物質取扱作業室及び事故由来廃棄物等取扱施設に限る。）、⑥、⑦、⑧及び⑩の作業環境測定を行うときは、事業者は、その使用する作業環境測定士（個人サンプリング法による測定を行う場合は、作業環境測定士のうち、個人サンプリング法について登録を受けているもの）に実施させ、又は一定の場合には作業環境測定機関又は厚生労働大臣が指定する機関（個人サンプリング法による測定を行う場合は、個人サンプリング法について登録を受けている作業環境測定機関又は厚生労働大臣が指定する機関）に委託しなければならない。

　個人サンプリング法とは、作業に従事する労働者の身体に装着する試料採取機器等を用いて行う作業環境測定に係るデザイン及びサンプリングをいう。

（令21条、作業環境測定法3条、同令1条、同則1条、3条、電離則53条2号、2号の2他）

❷ 作業環境測定の結果の評価等（法65条の2）重要度 A

★★★

Ⅰ　**事業者**は、**作業環境測定**の**結果の評価**に基づいて、**労働者の健康**を**保持**するため必要があると認められるときは、**施設又は設備の設置又は整備、健康診断の実施**その他の**適切な措置**を**講じなければならない**。

Ⅱ　**事業者**は、Ⅰの評価を行うに当たっては、厚生労働省令で定めるところにより、**厚生労働大臣**の定める**作業環境評価基準**に従って行わなければならない。

Ⅲ　**事業者**は、Ⅱの規定による**作業環境測定**の**結果の評価**を行ったときは、その**結果を記録**しておかなければならない。

概要

作業環境評価基準に基づく評価を行わなければならない作業場及び記録の保存期間は、次表のとおりである。

対象作業場	記録保存期間
①　一定の粉じんを著しく発散する屋内作業場	**7年間**
②　一定の特定化学物質を製造し又は取り扱う屋内作業場・石綿等を取り扱い若しくは試験研究のため製造する屋内作業場又は石綿分析用試料等を製造する屋内作業場	**3年間**（ベリリウム、塩化ビニル、クロム酸、ホルムアルデヒド等は**30年間**、石綿は**40年間**）
③　一定の有機溶剤を製造し又は取り扱う屋内作業場	**3年間**
④　鉛業務のうち一定のものを行う屋内作業場	

(有機則28条の2,2項他)

1. 評価及び評価に基づく措置

作業環境評価基準に基づく評価は、作業場の作業環境管理の状態を第1管理区

分から第3管理区分までに区分することによって行われ、第3管理区分に該当したときは、直ちに作業環境を改善するための必要な措置を講じなければならない。

管理区分・管理区分に応じた措置は次表のとおりである。

管理区分	作業環境管理の状態	評価に基づく措置
第1管理区分	作業場の作業環境中のほとんどの場所で有害物濃度が管理濃度を超えない状態	**特になし**（2年以上継続すると、所轄労働基準監督署長の許可を受けて、検知管等による測定方法など測定の簡易化が認められる。）。
第2管理区分	作業場の作業環境中の有害物濃度の平均が管理濃度を超えない状態	施設、設備、作業工程又は作業方法の点検を行い、その結果に基づき、施設又は設備の設置又は整備、作業工程又は作業方法の改善その他作業環境を改善するため必要な措置を講ずるよう**努めなければならない。**
第3管理区分	作業場の作業環境中の有害物濃度の平均が管理濃度を超える状態	直ちに、施設、設備、作業工程又は作業方法の点検を行い、その結果に基づき、施設又は設備の設置又は整備、作業工程又は作業方法の改善その他作業環境を改善するため必要な措置を講じ、当該場所の管理区分が第1管理区分又は第2管理区分となるように**しなければならない。**

（有機則28条の3 他）

2. 評価結果等の労働者への周知

(1) 周知内容

有機溶剤業務、鉛業務及び特定化学物質業務を行う作業場所であって一定のものについて作業環境測定を実施した場合は、作業環境測定の評価の記録、当該評価に基づく措置及び当該措置の効果を確認する評価結果の内容について、労働者に周知させなければならない。

(2) 周知方法

(1)の周知は、次に掲げるいずれかの方法によって行うものとする。

① 常時各作業場の見やすい場所に掲示し、又は備え付けること。

② 書面を労働者に交付すること。

③ 事業者の使用に係る電子計算機に備えられたファイル又は電磁的記録媒体をもって調製するファイルに記録し、かつ、各作業場に労働者が当該記録の内容を常時確認できる機器を設置すること。

（有機則28条の3.3項、28条の4.2項、鉛則52条の3.3項、52条の4.2項、

特化則36条の3.3項、36条の4.2項、平成24.5.17基発0517第2号）

第5章 第2節

健康診断等

健康診断の種類等

❶ 健康診断の種類 重要度 A ★★★

健康診断についてまとめると、次のようになる。

	種　類	対象労働者	実施時期等
一般健康診断	雇入れ時の健康診断	常時使用労働者	雇入れの際
	定期健康診断	常時使用労働者（特定業務従事者を除く）	1年以内ごとに1回、定期に実施
	特定業務従事者の健康診断	特定業務従事者（常時従事する者）	・当該業務への配置替えの際 ・6月以内ごとに1回、定期に実施
	海外派遣労働者の健康診断	海外派遣労働者	・海外に6月以上派遣しようとするとき ・海外に6月以上派遣した労働者を国内における業務に就かせるとき（一時的なものを除く）
	給食従業員の健康診断	事業附属食堂又は炊事場における給食業務従事労働者	・雇入れの際 ・当該業務への配置替えの際
特殊健康診断	特別の項目についての特殊健康診断	一定有害業務に ・従事中の労働者 ・従事させたことのある労働者で現に使用しているもの	・雇入れの際 ・当該業務への配置替えの際 ・業務の区分に応じ所定の期間以内ごとに1回、定期に実施
	歯科医師による健康診断	歯又はその支持組織に有害なガス等を発散する場所における業務従事者（常時従事する者）	・雇入れの際 ・当該業務への配置替えの際 ・当該業務に就いた後6月以内ごとに1回、定期に実施
その他	臨時健康診断	都道府県労働局長が指示する労働者	労働衛生指導医の意見に基づき、都道府県労働局長の指示があったとき
	労働者指定医師による健康診断	事業者の実施する健康診断を受診することを希望しない者	事業者の実施する健康診断を受診することを労働者が希望しないとき
	自発的健康診断	6月間平均1月あたり4回以上深夜業に従事した者で常時使用されるもの	自発的健康診断の結果を証明する書面を事業者に提出することができ、安衛法の健康診断の事後措置等の規定が適用される

142

❷ 健康診断全般に関する通達等 重要度A

1. 健康診断の実施に要する費用

労働安全衛生法の定めによる健康診断を実施する場合、その健康診断の実施に要する費用は、労働者が事業者の指定する医師（歯科医師）以外の医師（歯科医師）による健康診断を受ける場合等を除いて、事業者が負担しなければならない。 R元-10A

一般健康診断の受診に要した時間については、賃金の支払義務はないとされているが、支払われることが望ましい。 H27-10オ

また、特殊健康診断の受診に要する時間については、特殊健康診断が事業の遂行にからんで当然実施されなければならない性質のものであり賃金の支払義務が生じる。 H27-10オ

(昭和47.9.18基発602号)

2. 短時間労働者に対する健康診断の実施

一般健康診断を実施すべき「常時使用する短時間労働者」は、次の(1)と(2)のいずれの要件をも満たすものとする。

(1) 期間の定めのない労働契約により使用される者、及び有期労働契約により使用されるものであって、①又は②のいずれかに該当するもの H27-10ア

① 当該有期労働契約の契約期間が1年（特定業務従事者は6月）以上である者

② 労働契約の更新により1年（特定業務従事者は6月）以上使用されることが予定されている者及び1年（特定業務従事者は6月）以上使用されている者

(2) **1週間の労働時間数**が当該事業場において同種の業務に従事する通常の労働者の1週間の所定労働時間数の**4分の3以上**であること。

なお、これに該当しない場合であっても、上記の(1)に該当し、1週間の労働時間数が当該事業場において同種の業務に従事する通常の労働者の1週間の所定労働時間数の概ね2分の1以上である者に対しても一般健康診断を実施するのが望ましい。 R元-10C

(平成26.7.24基発0724第2号他)

3. 健康診断等に関する秘密の保持

健康診断、長時間労働者、研究開発業務従事者、高度プロフェッショナル制度対象労働者に対する面接指導、ストレスチェック又はストレスチェックの結果に基づく面接指導の実施の事務に従事した者は、その実施に関して知り得た労働者の秘密を漏らしてはならない。

(法105条)

一般健康診断

❶ 雇入れ時の健康診断（則43条）重要度 A

★★★

　事業者は、**常時使用する労働者**を**雇い入れる**ときは、当該**労働者**に対し、**一般項目**について**医師**による**健康診断**を行わなければならない。ただし、**医師**による**健康診断**を受けた後、**3月**を経過しない者を雇い入れる場合において、その者が当該**健康診断**の**結果を証明**する**書面**を提出したときは、当該**健康診断**の項目に相当する項目については、この限りでない。R元-10B R5-10B

▌Check Point!▶

- [ ] 雇入れ時の健康診断は臨時的に使用される労働者は対象外であるが、雇入れ時の安全衛生教育は臨時的に使用される労働者も対象となる。

1. 対象労働者

　雇入れ時の健康診断の対象となるのは、**常時使用される労働者**である（臨時的に使用される労働者は除いてもよい）。

参考「雇い入れるとき」とは、雇入れの直前又は直後をいう。　　　　　（昭和33.2.13基発90号）

2. 検査項目

　雇入れ時の健康診断の検査項目は、次の11項目である。

- (1) **既往歴及び業務歴の調査**
- (2) 自覚症状及び他覚症状の有無の検査
- (3) 身長、体重、**腹囲**、視力及び聴力の検査
- (4) 胸部エックス線検査
- (5) 血圧の測定
- (6) 貧血検査
- (7) 肝機能検査
- (8) 血中脂質検査
- (9) 血糖検査

(10) 尿検査

(11) 心電図検査

3. 省略できる検査項目

　医師による健康診断を受けた後、**3月**を経過しない者を雇い入れる場合において、その者が当該健康診断の結果を証明する書面を提出したときは、その健康診断の項目に相当する項目については省略できる。R元-10B

② 定期健康診断（則44条1項）重要度A ★★★

　事業者は、**常時使用する労働者**（特定業務従事者を**除く**。）に対し、**1年以内ごとに1回**、**定期**に、一般項目について**医師による健康診断**を行わなければならない。

Check Point!

□ 35歳の者については、雇入れ時の健康診断等の実施後1年以内である場合を除き、「腹囲の検査（一定の者を除く。）」「胸部エックス線検査」「貧血検査、肝機能検査、血中脂質検査、血糖検査、心電図検査」を省略することはできない。

1. 対象労働者

　常時使用される労働者のうち特定業務に従事する労働者以外のものである。

参考 育児休業、療養等により休業中の労働者に係る定期健康診断及び指導勧奨による特殊健康診断の取扱いについては、下記によることとされたい。
　(1) 休業中の定期健康診断について…事業者は、定期健康診断を実施すべき時期に、労働者が、育児休業、療養等により休業中の場合には、定期健康診断を実施しなくてもさしつかえないものであること。
　(2) 休業後の定期健康診断について…事業者は、労働者が休業中のため、定期健康診断を実施しなかった場合には、休業終了後、速やかに当該労働者に対し、定期健康診断を実施しなければならないものであること。
　(3) 指導勧奨による特殊健康診断について…休業中及び休業後の指導勧奨による特殊健康診断については、(1)及び(2)に準じて実施するよう事業者等を指導すること。

(平成4.3.13基発115号)

2. 検査項目

　定期健康診断の検査項目は以下の11項目である。「**喀痰検査**」が加えられていることを除き、雇入れ時の健康診断の検査項目と同じである。

　(1) **既往歴**及び**業務歴**の調査

(2)　自覚症状及び他覚症状の有無の検査

(3)　身長、体重、**腹囲**、視力及び聴力の検査

(4)　胸部エックス線検査及び**喀痰検査**

(5)　血圧の測定

(6)　貧血検査

(7)　肝機能検査

(8)　血中脂質検査

(9)　血糖検査

(10)　尿検査

(11)　心電図検査

3.　省略できる検査項目

(1)　雇入れ時の健康診断、海外派遣労働者の健康診断、有害業務従事中の特殊健康診断を受けた者については、その健康診断の実施の日から**1年間**に限り、その者が**受けた健康診断の項目に相当する項目を省略できる。**

（則44条 3 項）

(2)　次表の項目については、厚生労働大臣が定める基準に基づき、**医師が必要でないと認めるとき**に省略できることとされている。

項目	省略することができる者
身長の検査	**20歳以上**の者
腹囲の検査	①**40歳未満**の者（**35歳**の者を**除く**） ②**妊娠中**の女性その他の者であって、その腹囲が内臓脂肪の蓄積を反映していないと診断されたもの ③BMI（体重（kg）/身長（m)^2）が20未満である者 ④自ら腹囲を測定し、その値を申告した者（BMIが22未満である者に限る）
胸部エックス線検査	**40歳未満**の者（20歳、25歳、30歳及び35歳の者を**除く**）で、次のいずれにも該当しないもの ①感染症の予防及び感染症の患者に対する医療に関する法律施行令第12条第1項第1号に掲げる者［結核に係る定期の健康診断の受診が義務づけられている、学校、病院、診療所、助産所、介護老人保健施設、介護医療院、救護施設、老人ホーム、障害者支援施設等の施設における業務に従事する者］ ②じん肺法第8条第1項第1号又は第3号に掲げる者［常時粉じん作業に従事する労働者で、じん肺管理区分が管理1のもの、又は常時粉じん作業に従事させたことのある労働者で、現に粉じん作業以外の作業に常時従事しているもののうち、じん肺管理区分が管理2であるもの］
喀痰検査	①胸部エックス線検査によって**病変の発見されない**者又は結核**発病のおそれがない**と診断された者 ②胸部エックス線検査を省略できる者
貧血検査、肝機能検査、血中脂質検査、血糖検査、心電図検査	**40歳未満**の者（**35歳**の者を**除く**）

（則44条 2 項、平成22年厚労告25号）

❸ 特定業務従事者の健康診断（則45条1項）【重要度 A】

★★★

　事業者は、第13条第1項第3号に掲げる業務［**特定業務**］に**常時従事する労働者**に対し、当該業務への**配置替えの際及び6月以内ごとに1回**、**定期**に、**定期健康診断**の**検査項目**について**医師による健康診断**を行わなければならない。この場合において、**胸部エックス線検査及び喀痰検査**については、**1年以内ごとに1回**、**定期**に、行えば足りるものとする。

▌Check Point!

□ 「特定業務」とは、常時500人以上の労働者を従事させる場合に産業医の専属が義務付けられる有害業務のことである。 H27-10イウ

---

1. 対象労働者

　則第13条第1項第3号に掲げる**特定業務**に**常時従事する労働者**が対象となる。

2. 検査項目

　検査項目は、**定期健康診断**の検査項目と**同じ**である。ただし、**胸部エックス線検査及び喀痰検査**については**1年以内ごとに1回**、定期に実施すればよい。

3. 省略できる項目

(1) 雇入れ時の健康診断、海外派遣労働者の健康診断、有害業務従事中の特殊健康診断を受けた者については、その健康診断の実施の日から**6月間**に限り、**その者が受けた健康診断の項目に相当する項目を省略できる。**

（則45条3項）

(2) 医師が必要でないと認めるときに省略できる項目及びその対象者は、定期健康診断の場合とほぼ同様である。ただし、**以下の点が定期健康診断と異なる。**

・「**胸部エックス線検査**」は40歳未満の者であっても**省略できない。**
・**喀痰検査を省略できる者**として胸部エックス線検査を省略できる者は定められていない。

（則45条3項、平成22年厚労告26号）

(3) 前回の健康診断において、検査項目のうち、**貧血検査、肝機能検査、血中脂質検査、血糖検査及び心電図検査**について健康診断を受けた者について

は、医師が必要でないと認めるときは、当該項目の全部又は一部を省略することができる。

(則45条2項)

問題チェック H17-9B

　事業者は、強烈な騒音を発する場所における業務に常時従事する労働者に対しては、当該業務への配置替えの際及び6か月以内ごとに1回、定期に、所定の項目について医師による健康診断を行わなければならない。

解答 ○　　　　　　　　　　　　　　法66条1項、則13条1項3号チ、則45条1項

　強烈な騒音を発する場所における業務に常時従事する労働者は、特定業務従事者の健康診断の対象となる。

問題チェック H17-10D

　事業者は、深夜業を含む業務に常時従事する労働者に対しては、当該業務への配置替えの際及び6か月以内ごとに1回、定期に、所定の項目について医師による健康診断を行わなければならない。

解答 ○　　　　　　　　　　　　　　法66条1項、則13条1項3号ヌ、則45条1項

　深夜業を含む業務に常時従事する労働者は、特定業務従事者の健康診断の対象となる。

---

④ 海外派遣労働者の健康診断
（則45条の2,1項、2項） A

★★★

Ⅰ　**事業者**は、**労働者**を**本邦外**の地域に**6月以上派遣**しようとするときは、あらかじめ、当該**労働者**に対し、**定期健康診断の検査項目及び厚生労働大臣**が定める項目のうち**医師が必要であると認める項目**について、**医師による健康診断**を行わなければならない。R2-選D

Ⅱ　**事業者**は、**本邦外**の地域に**6月以上派遣**した労働者を**本邦**の地域内における業務に就かせるとき（**一時的**に就かせるときを**除く**。）は、当該**労働者**に対し、**定期健康診断の検査項目及び厚生労働大臣**が定める項目のうち**医師が必要であると認める項目**について、医師**による健康診断**を行わなければならない。

148

1. 対象労働者

当該健康診断の対象となるのは、次の**出国前**及び**帰国後**の海外派遣労働者である。

(1) 本邦外の地域に**6月以上派遣しようとする労働者**

(2) 本邦の地域内における業務に就かせようとする本邦外の地域に**6月以上派遣された労働者**（本邦内の業務に一時的に就かせる者を除く。）

2. 検査項目

検査項目は、**定期健康診断の項目に加え**、厚生労働大臣が定める次の項目のうち医師が必要と認めるものである。

(1) 腹部画像検査

(2) 血液中の尿酸の量の検査

(3) B型肝炎ウィルス抗体検査

(4) ABO式及びRh式の血液型検査（派遣前に限る。）

(5) 糞便塗抹検査（帰国後に限る。） （平成12年労告120号）

3. 省略できる検査項目

(1) 雇入れ時の健康診断、定期健康診断、特定業務従事者の健康診断又は有害業務従事中の特殊健康診断を受けた者については、その健康診断の実施の日から**6月間**に限り、その者が受けた**健康診断の項目に相当する項目を省略できる**。 （則45条の2,3項）

(2) 次の検査については、**医師が必要でないと認める**ときに省略できることとされている。

① **20歳以上**の者に対する**身長の検査**

② 胸部エックス線検査で**病変の発見されない者**及び結核の**発病のおそれがない**と診断された者に対する**喀痰検査** （則45条の2,4項、平成22年厚労告27号）

❺給食従業員の健康診断（則47条）重要度A ★★★

事業者は、事業に附属する**食堂**又は**炊事場**における**給食の業務**に従事する労働者に対し、その**雇入れの際**又は当該**業務への配置替えの際**、**検便による健康診断**を行なわなければならない。

Check Point!

☐ 検便による健康診断を定期的に行う必要はない。

1.　対象労働者

　事業に附属する食堂又は炊事場における給食の業務に従事することとして、**雇入れ**又は**配置替え**された労働者である。

2.　検査項目

　寄生虫卵検査及び感染症（伝染病）保菌者発見のための細菌学的検査である検便のみである。

特殊健康診断

❶ 特別の項目による健康診断（法66条2項）重要度 A

★★★

　事業者は、有害な業務で、政令で定めるものに**従事する労働者**に対し、医師による**特別の項目**についての**健康診断**を行なわなければならない。**有害な業務**で、政令で定めるものに**従事させたことのある労働者**で、**現に使用している**ものについても、同様とする。

| Check Point!

☐ 事業者は、石綿等の取扱い若しくは試験研究のための製造又は石綿分析用試料等の製造に伴い石綿の粉じんを発散する場所における業務に常時従事する労働者に対し、雇入れ又は当該業務への配置替えの際及びその後6月以内ごとに1回、定期に、医師による特別の項目についての健康診断を行わなければならない。

（石綿則40条1項）

1．有害業務従事中の健康診断

　事業者は、令第22条第1項の業務（鉛業務等の有害業務）に常時従事する労働者に対し、その業務の区分に応じ、**雇入れ又は当該業務への配置替えの際及びその後所定の期間**（通常は**6月**）**以内ごとに1回、定期**に、医師による特別の項目についての健康診断を行わなければならない（報告義務あり）。

■有害な業務で政令で定めるもの及び健康診断の時期

業務の区分	定期健康診断の時期
放射線業務	6月（緊急作業に係る業務については1月）以内ごとに1回
四アルキル鉛等業務※	**6月以内ごとに1回**
高圧室内業務・潜水業務	
石綿等取扱等業務	
有機溶剤業務※	
一定の特定化学物質製造・取扱業務※	6月（一定の項目又は業務については1年）以内ごとに1回
鉛業務※	

（令22条1項他）

※　以下の(1)から(3)までの要件のいずれも満たす場合（四アルキル鉛等業務による健康診断については、以下の(2)及び(3)の要件を満たす場合）には、特殊健康診断の対象業務に従事する労働者に対する特殊健康診断の実施頻度を6月以内ごとに1回から、**1年以内ごとに1回**に緩和することができる。ただし、危険有害性が特に高い製造禁止物質及び特別管理物質に係る特殊健康診断の実施については、当該実施頻度の緩和の対象とはならない。

(1)　当該労働者が業務を行う場所における**直近3回**の作業環境測定の評価結果が**第1管理区分**に区分されたこと。

(2)　**直近3回**の健康診断の結果、当該労働者に新たな異常所見がないこと。

(3)　直近の健康診断実施後に、軽微なものを除き作業方法の変更がないこと。

（特化則39条4項、有機則29条6項、鉛則53条4項、四アルキル則22条4項）

2.　有害業務従事後の健康診断

　事業者は、令第22条第2項の業務（製造等禁止物質や製造許可物質の一部、**塩化ビニル**、ベンゼン、1,2-ジクロロプロパン等の有害物製造・取扱業務）に**常時従事させたことのある**労働者で、**現に使用しているもの**に対し、労働者が常時従事した業務の区分に応じ、**6月以内ごとに1回**（一定の項目については**1年以内ごとに1回**）、定期に、**医師**による**特別の項目**についての健康診断を行わなければならない（報告義務あり）。（令22条2項、特化則39条2項、41条、石綿則40条2項、43条）

❷ 歯科医師による健康診断
（法66条3項、令22条3項、則48条） [重要度 A]

★★★

　事業者は、**塩酸、硝酸、硫酸、亜硫酸、弗化水素、黄りん**その他歯**又はその支持組織**に**有害な物**の**ガス、**蒸気又は**粉じん**を**発散する場所**における業務に**常時従事する労働者**に対し、その**雇入れの際**、当該業務への**配置替えの際**及び当該**業務についた後6月以内ごとに1回**、定期に、**歯科医師**による健康診断を行なわなければならない。

その他の健康診断

❶ 臨時健康診断（法66条4項）**A** ★★★

　都道府県労働局長は、労働者の健康を保持するため**必要**があると認めるときは、**労働衛生指導医の意見**に基づき、**事業者**に対し、**臨時の健康診断の実施**その他**必要な事項**を指示することができる。

趣旨

　事業場において、特定の職業性疾病が多発した場合や有害物の大量漏えいがあったような場合、都道府県労働局長は、労働衛生指導医の意見に基づき、事業者に対し、臨時の健康診断の実施その他必要な事項を指示することができる旨を定めた規定である。

参考（健康診断の指示）
法第66条第4項の都道府県労働局長の指示は、実施すべき健康診断の項目、健康診断を受けるべき労働者の範囲その他必要な事項を記載した文書により行なうものとする。
（則49条）

❷ 労働者指定医師による健康診断（法66条5項）**B** ★★

　労働者は、第66条第1項から第4項の規定により**事業者**が行なう**健康診断**［**一般健康診断、特殊健康診断及び臨時健康診断**］を受けなければならない。ただし、**事業者の指定**した**医師又は歯科医師**が行なう**健康診断**を受けることを**希望しない場合**において、**他の医師又は歯科医師**の行なうこれらの規定による**健康診断に相当する健康診断**を受け、その結果を証明する書面を**事業者**に**提出**したときは、この限りでない。

R5-10E

参考（労働者指定医師による健康診断結果証明書）
　労働者指定医師による健康診断の結果を証明する書面は、当該労働者の受けた健康診断の項目ごとに、その結果を記載したものでなければならない。　　　　　　　　　（則50条）

（費用等）
　労働者指定医師による健康診断の場合、事業者は、原則として当該健康診断の受診に要した時間中の賃金及び健康診断の実施に要した費用を負担する必要はない。
（昭和47.9.18基発602号）

❸ 自発的健康診断（法66条の2）重要度Ａ ★★★

> 　深夜業※に従事する**労働者**であって、その**深夜業**の**回数**その他の事項が**深夜業に従事する労働者の健康の保持を考慮**して厚生労働省令で定める要件に該当するものは、**自ら受けた健康診断**（「**労働者指定医師による健康診断**」を除く。）の結果を証明する書面を**事業者に提出**することができる。
>
> 　※　「深夜業」とは、午後10時から午前5時まで（厚生労働大臣が必要であると認める場合においては、午後11時から午前6時まで）の間における業務をいう。

1．対象労働者

　自発的健康診断の対象となるのは、**常時使用**され、自ら受けた健康診断を受けた日前**6月間を平均して1月当たり4回以上深夜業**に従事した者である。
（則50条の2）

2．健康診断結果の提出

　1.の要件を満たす者は、一般項目の全部又は一部について、自ら受けた医師による健康診断の結果を証明する書面を事業者に提出することができる。ただ

し、当該健康診断を受けた日から**3月**を経過したときは、この限りでない。

（則50条の３）

参考（健康診断の記録等）

事業者は、当該自発的健康診断の結果を記録しておかなければならないことはもとより、異常の所見があると診断された労働者については医師から意見聴取し、必要があると認めるときは適切な事後措置を講ずることが義務付けられるほか、保健指導の努力義務も課せられる。

（法66条の３、法66条の４、法66条の５、法66条の７）

（二次健康診断等給付との関係）

二次健康診断等給付の場合は、労働者は一次健康診断を受けた日から３箇月以内に二次健康診断等給付の請求をしなければならず、当該二次健康診断の実施の日から３箇月以内に当該二次健康診断の結果を証明する書面を提出しなければならない。

（労災法27条、労災則18条の17、18条の19,4項）

5 記録の保存及び事後措置等

❶ 記録の作成・保存（則51条）🅰 ★★★

　事業者は、法定の**健康診断の結果**に基づき、健康診断個人票を**作成**して、これを**5年間保存**しなければならない。 H27-10エ

Check Point!

□　5年以上の健康診断個人票の保存義務がない法定の健康診断は存在しない。

1.　対象となる健康診断

　事業規模の大小にかかわらず、かつ、**すべての法定の健康診断**について健康診断個人票の保存義務がある（**特殊健康診断**についても各規則において保存が義務付けられている）。

2.　保存期間

　健康診断個人票の保存期間は、ジクロルベンジジンなどの製造許可物質や**ベンゼン**等（特別管理物質）の製造若しくは取扱いの業務又は放射線業務（一定の場合を除く）の場合は**30年間**、石綿等の取扱い若しくは試験研究のための製造又は石綿分析用試料等の製造に伴い石綿の粉じんを発散する場所における業務の場合は**40年間**であるが、それ以外はすべて**5年間**である。

> **参考**（健康診断の結果の記録）
> 事業者は、厚生労働省令で定めるところにより、第66条第1項から第4項まで及び第5項ただし書並びに前条の規定による健康診断（これまでに述べたすべての健康診断）の結果を記録しておかなければならない。 R元-10E 　　　　　　　　　　　　　　（法66条の3）
>
> （特殊健康診断の結果の保存及び通知）
> 派遣労働者に関する特殊健康診断の結果の記録の保存は、派遣先事業者が行わなければならないが、派遣労働者については、派遣先が変更になった場合にも、当該派遣労働者の健康管理が継続的に行われるよう、労働者派遣法第45条第11項の規定に基づき、派遣元事業者は、派遣先事業者から送付を受けた当該記録の写しを保存しなければならない。
> また、派遣元事業者は、当該記録の写しに基づき、派遣労働者に対して特殊健康診断の結果を通知しなければならない。さらに、派遣元事業者は、派遣先が行った特殊健康診断の結果に基づく就業上の措置の内容に関する情報の提供を求めなければならない。 H30-8B
> （法66条2項、法66条の3、法66条の6、労働者派遣法45条3項、10項、11項、平成27.9.30基発0930第5号）

第5章　第2節

問題チェック H17-10E

　労働安全衛生法第66条の2の深夜業に従事する労働者から、同条の自ら受けた健康診断の結果を証明する書面の提出を受けた事業者は、当該健康診断の結果に基づき、健康診断個人票を作成し、これを5年間保存しなければならない。

解答 ○　　　　　　　　　　　　　　　　法66条の2、法66条の3、則51条

　設問の自発的健康診断についても、健康診断個人票を作成し、保存する義務がある。

❷定期健康診断結果報告（則52条）🔖改正 重要度 A

★★★

Ⅰ　**常時50人以上の労働者**を使用する**事業者**は、第44条［**定期健康診断**］又は第45条［**特定業務従事者の健康診断**］の健康診断（定期のものに限る。）を行ったときは、**遅滞なく、電子情報処理組織**を使用して、所定の事項を**所轄労働基準監督署長**に**報告**しなければならない。R5-10C

Ⅱ　**事業者**は、第48条［**歯科医師による健康診断**］の健康診断（定期のものに限る。）を行ったときは、**遅滞なく、電子情報処理組織**を使用して、所定の事項を**所轄労働基準監督署長**に**報告**しなければならない。

Check Point!

□ 定期健康診断の結果報告は50人以上規模の場合にしなければならないが、有害な業務に係る歯科健康診断の結果報告は事業規模にかかわりなくしなければならない。

・**対象となる健康診断**

　報告が義務付けられているのは、**定期**の健康診断を実施したときである。したがって、例えば、雇入れ時の健康診断の結果を報告する必要はない。

　特殊健康診断（定期のものに限る）についても、各規則において報告義務が規定されており、これらについては**事業規模にかかわりなく**、遅滞なく、報告しなければならない。

❸ 事後措置等 ▮重要度▮ A

1 医師等からの意見聴取及び健康診断実施後の措置
（法66条の4、法66条の5）

★★★

Ⅰ　**事業者**は、労働安全衛生法の規定による**健康診断の結果**（当該**健康診断**の項目に**異常の所見**があると**診断**された**労働者**に係るものに限る。）に基づき、当該**労働者の健康を保持**するために**必要な措置**について、**医師又は歯科医師の意見を聴かなければならない。** R5-10A

Ⅱ　**事業者**は、Ⅰの規定による**医師又は歯科医師の意見**を**勘案**し、その必要があると認めるときは、当該**労働者の実情**を考慮して、**就業場所の変更**、**作業の転換**、労働時間の短縮、深夜業の回数の減少等の措置を講ずるほか、作業環境測定の実施、**施設又は設備の設置又は整備**、当該**医師又は歯科医師の意見**の衛生委員会若しくは**安全衛生委員会又は労働時間等設定改善委員会**（労働時間等の設定の改善に関する特別措置法第7条に規定する**労働時間等設定改善委員会**をいう。）への**報告**その他の**適切な措置**を**講じなければならない。**

Ⅲ　**厚生労働大臣**は、Ⅱの規定により事業者が講ずべき措置の適切かつ有効な実施を図るため必要な指針（以下「健康診断結果に基づき事業者が講ずべき措置に関する指針」という。）を**公表するものとする。**

Ⅳ　**厚生労働大臣**は、Ⅲの**指針**を**公表**した場合において必要があると認めるときは、**事業者又はその団体**に対し、当該**指針**に関し**必要な指導**等を**行うことができる。**

▌Check Point! ▶

□　医師等からの意見聴取

・**自発的健康診断以外の場合**

| 事業者 | ← | 医師又は歯科医師 |

健康診断を行った日から
3月以内に医師等からの意見聴取

・**自発的健康診断の場合**

| 労働者 | ⟹ | 事業者 | ← | 医師 |

健康診断を受けた日から**3月以内**に　　書面提出から**2月以内**に
健康診断の結果を証明する書面を提出　　医師からの意見聴取

□　聴取した医師又は歯科医師からの意見は健康診断個人票に記載しなけれ
　　ばならない。

（則51条の2,1項2号、2項2号）

・**意見聴取**

(1)　健康診断の結果に基づく法第66条の4の規定による医師又は歯科医師から
　　の意見聴取は、次に定めるところにより行わなければならない。

　　①　健康診断が行われた日（労働者指定医師による健康診断の場合にあって
　　　は、当該労働者が健康診断の結果を証明する書面を事業者に提出した日）
　　　から**3月以内**に行うこと。

　　②　聴取した医師又は歯科医師の意見を健康診断個人票に記載すること。

(2)　自発的健康診断の結果に基づく法第66条の4の規定による医師からの意見
　　聴取は、次に定めるところにより行わなければならない。

　　①　当該健康診断の結果を証明する書面が事業者に提出された日から**2月以
　　　内**に行うこと。

　　②　聴取した医師の意見を健康診断個人票に記載すること。

(3)　事業者は、医師又は歯科医師から、(1)(2)の意見聴取を行う上で必要となる
　　労働者の業務に関する情報を求められたときは、速やかに、これを提供しな
　　ければならない。

（則51条の2）

参考（再検査・精密検査）
健康診断後の再検査又は精密検査は、法定の健康診断には含まれないことから、法第66
条の4［医師等からの意見聴取］は、当該再検査又は精密検査の結果に基づき、医師又は
歯科医師の意見を聴くことを事業者に義務付けるものではないが、再検査又は精密検査の
受診は、疾病の早期発見、その後の健康管理等に資することから、事業場でのその取扱い
について、再検査又は精密検査の結果に基づく医師等の意見の聴取を含め、労使が協議し
て定めることが望ましい。

（平成8.9.13基発566号）

2 健康診断の結果の通知及び保健指導等
（法66条の6、法66条の7、則51条の4）

★★★

Ⅰ　**事業者**は、第66条第１項から第４項まで［**一般健康診断、特殊健康診断及び臨時健康診断**］の規定により行う**健康診断**を受けた**労働者**に対し、**遅滞なく、**当該**健康診断**の結果を**通知**し**なければならない。**

R5-10D

Ⅱ　**事業者**は、第66条第１項［**一般健康診断**］の規定による**健康診断**若しくは当該**健康診断**に係る同条第５項ただし書［**労働者指定医師による健康診断**］の規定による**健康診断**又は第66条の２［**自発的健康診断**］の規定による**健康診断**の結果、特に**健康の保持**に努める必要があると認める**労働者**に対し、**医師**又は**保健師**による**保健指導**を行うように**努めなければならない。**

Ⅲ　**労働者**は、Ⅰの規定により**通知**された**健康診断**の結果及びⅡの規定による**保健指導**を利用して、その**健康の保持**に**努めるものとする。**

▌Check Point!▐

☐ 健康診断の結果は、当該結果に異常所見が認められない者に対しても通知しなければならない。R元-10E

☐ 健康診断の結果の通知は義務であるが、保健指導は努力義務である。

1.　第66条第１項から第４項までの規定による健康診断

　　上記Ⅰ［健康診断の結果の通知義務］の規定の対象となる健康診断とは、①**雇入れ時の健康診断**、②**定期健康診断**、③**特定業務従事者の健康診断**、④**海外派遣労働者の健康診断**、⑤**給食従業員の健康診断**、⑥**特殊健康診断**及び⑦**臨時健康診断**である。

（則51条の４他）

参考（通知の内容）
　　健康診断の結果の通知においては、総合判定結果だけではなく、各健康診断の項目ごとの結果も通知する必要がある。

（平成18.2.24基発0224003号）

2.　罰則

　　上記Ⅰ［健康診断の結果の通知義務］の規定に違反して、労働者に健康診断の結果の通知をしなかった事業者は、**50万円以下の罰金**に処せられる。

（法120条１号）

面接指導

❶ 種類 重要度A

★★★

面接指導には次のものがある。

ⅰ　**長時間労働者**に対する**面接指導**

ⅱ　**研究開発業務従事者**に対する**面接指導**

ⅲ　高度プロフェッショナル制度対象労働者に対する面接指導

なお、上記のほかに、**ストレスチェック結果に基づく面接指導**がある〔 **7**「**心理的な負担の程度を把握するための検査等（ストレスチェック制度）**」参照〕。

概要

面接指導についてまとめると、次の通りである。 R2-8A〜E

	長時間労働者	研究開発業務従事者	高プロ対象労働者
要件	週40時間を超える労働時間が**月80時間超** **疲労の蓄積**	週40時間を超える労働時間が**月100時間超**	週40時間を超える健康管理時間が**月100時間超**
	労働者の申出	上記に該当	上記に該当
産業医による勧奨	**あり**	なし	なし
労働時間の把握義務	**あり** 記録を**3年間**保存	**あり** 記録を**3年間**保存	なし
結果の記録の保存	**5年**		
医師からの意見聴取	**あり**		
事後措置	就業場所の変更	就業場所の変更	
	作業の転換		
		職務内容の変更	職務内容の変更
		有給休暇の付与	有給休暇の付与
	労働時間の短縮	労働時間の短縮	
	深夜業の回数の減少	深夜業の回数の減少	
			健康管理時間が短縮されるための配慮
罰則	なし	50万円以下の罰金	50万円以下の罰金
面接指導対象外の労働者に対する努力義務 — 要件	事業場で定める基準に該当	事業場で定める基準に該当	労働者の申出
面接指導対象外の労働者に対する努力義務 — 内容	面接指導 面接指導に準ずる措置	面接指導 面接指導に準ずる措置	面接指導

Check Point!

- ☐ 面接指導の費用については、事業者が負担する必要がある。 R6-9D

（平成18.2.24基発0224003号、平成31.3.29基発0329第2号）

- ☐ 研究開発業務従事者に対する面接指導は所定労働時間内に行われる必要がある（当該面接指導の実施に要する時間は労働時間と解されるので、時間外に行われた場合には割増賃金を支払う必要がある）。 R6-9D

（平成31.3.29基発0329第2号）

- ☐ 派遣労働者に対する面接指導の実施義務は派遣元事業者が負い、労働時間の把握義務は派遣先事業者が負う。 H27-9E R6-9E （労働者派遣法45条3項）

問題チェック R6-9C

事業者は、労働安全衛生法の規定による医師による面接指導を実施するため、厚生労働省令で定める方法により労働者の**労働時間の状況を把握**しなければならないとされているが、この労働者には、労働基準法第41条第2号に規定する監督若しくは管理の地位にある者又は機密の事務を取り扱う者も含まれる。

解答 ○　　　　　　　　　　　　　　法66条の8の3、平成31.3.29基発0329第2号

労働時間の状況の把握は、労働者の健康確保措置を適切に実施するためのものであり、その対象となる労働者は、**高度プロフェッショナル制度対象労働者を除き**、①研究開発業務従事者、②事業場外労働のみなし労働時間制の適用者、③裁量労働制の適用者、④管理監督者等、⑤派遣労働者、⑥短時間労働者、⑦有期契約労働者を含めた**全ての労働者**である。

問題チェック R6-9D

労働安全衛生法第66条の8及び同法第66条の8の2により行われる医師による面接指導に要する費用については、いずれも事業者が負担すべきものであるとされているが、当該面接指導に要した時間に係る賃金の支払については、当然には事業者の負担すべきものではなく、事業者が支払うことが望ましいとされている。

解答 ✕　　法66条の8,1項、法66条の8の2,1項、平成18.2.24基発0224003号、平成31.3.29基発0329第2号

面接指導に要した時間に係る**賃金の支払**について、法第66条の8による長時間労働者に対する面接指導の場合は、設問の通りであるが、法第66条の8の2による**研究開発業務従事者に対する面接指導**の場合は、当該面接指導に要する時間は労働時間と解されるため、当然に**事業者の負担すべき**ものである。なお、面接指導に要

する費用についての記述は正しい。

② 長時間労働者に対する面接指導
（法66条の8,1項、法66条の9）重要度 A

★★★

> Ⅰ 　**事業者**は、その**労働時間の状況**その他の事項が**労働者の健康の保持**を考慮して厚生労働省令で定める要件に該当する労働者（❸Ⅰに規定する者及び❹Ⅰに規定する者を除く。以下この条において同じ。）に対し、**医師による面接指導**（問診その他の方法により**心身の状況**を把握し、これに応じて**面接**により**必要な指導**を行うことをいう。以下同じ。）を行わなければならない。 R2-8A
>
> Ⅱ 　**事業者**は、Ⅰの規定により**面接指導を行う労働者以外**の労働者であって**健康への配慮**が必要なものについては、厚生労働省令で定めるところにより、**必要な措置**を講ずるように**努め**なければならない。

趣旨

　法第66条の8第1項に規定する長時間労働者に対する面接指導（以下②において単に「面接指導」という。）は、脳血管疾患及び虚血性心疾患等の発症が長時間労働との関連性が強いとする医学的知見を踏まえ、これらの疾病の発生を予防するため設けられた制度である。

Check Point!

☐ 当該面接指導は、労働者の申出により行うものである（実施しないことによる罰則の定めはない）。

☐ 労働基準法第41条の労働時間等の適用除外者（管理監督者等）も面接指導の対象となる。

（平成18.2.24基発0224003号）

1．対象労働者

(1) 　面接指導の対象労働者の要件は、休憩時間を除き**1週間当たり40時間を超えて**労働させた場合におけるその超えた時間（休日労働時間を含む。）が**1月当たり80時間**を超え、かつ、**疲労の蓄積**が認められる者であることとする。ただし、(2)の期日前1月以内に面接指導又は研究開発業務従事者に対

する面接指導を受けた労働者その他これに類する労働者であって面接指導を受ける必要がないと医師が認めたものを除く。 R2-8A　R6-9A

(2)　(1)の超えた時間の算定は、**毎月1回以上、一定の期日を定めて**行わなければならない。

(3)　事業者は、(1)の超えた時間の算定を行ったときは、速やかに、(1)**の超えた時間が1月当たり80時間を超えた労働者**に対し、当該労働者に係る当該**超えた時間**に関する情報を通知しなければならない。　　　　　　　　　　　（則52条の2）

> **参考**　「疲労の蓄積」は、通常、他者には認知しにくい自覚症状として現れるものであることから、面接指導の申出の手続をとった労働者については、「疲労の蓄積があると認められる者」として取り扱うものである。　　　　　　　　　　　　（平成18.2.24基発0224003号）

2．面接指導の実施方法等

(1)　面接指導は、1.(1)の要件に該当する**労働者の申出**により行うものとする。

R2-8A

(2)　(1)の申出は、1.(2)の期日後、**遅滞なく**、行うものとする。

(3)　事業者は、労働者から(1)の申出があったときは、**遅滞なく**、面接指導を行わなければならない。

(4)　産業医は、1.(1)の要件に該当する労働者に対して、(1)の**申出を行うよう勧奨する**ことができる。　　　　　　　　　　　　　　　　　　（則52条の3）

3．事業者による労働時間把握義務

(1)　事業者は、Iの規定による面接指導を実施するため、タイムカードによる記録、パーソナルコンピュータ等の電子計算機の使用時間の記録等の**客観的な方法その他の適切な方法**により、労働者（❹Iに規定する者を除く。）の労働時間の状況を把握しなければならない。 R2-8D　R6-9C

(2)　事業者は、(1)に規定する方法により把握した労働時間の状況の記録を作成し、**3年間**保存するための必要な措置を講じなければならない。

　　　　　　　　　　　　　　　　　　　　　　（法66条の8の3、則52条の7の3）

4．確認事項

医師は、面接指導を行うに当たっては、労働者に対し、次の事項について確認を行うものとされている。

(1)　当該労働者の勤務の状況

(2)　当該労働者の疲労の蓄積の状況

(3)　(2)のほか、当該労働者の心身の状況　　　　　　　　　　　　　（則52条の4）

5．労働者指定医師による面接指導

労働者は、Ⅰの規定により事業者が行う面接指導を受けなければならない。ただし、事業者の指定した医師が行う面接指導を受けることを希望しない場合において、他の医師の行うⅠの規定による面接指導に相当する面接指導を受け、その結果を証明する書面を事業者に提出したときは、この限りでない。（法66条の8,2項）

参考 面接指導の結果を証明する書面は、当該労働者の受けた面接指導について、次の事項を記載したものでなければならない。
(1)実施年月日
(2)当該労働者の氏名
(3)面接指導を行った医師の氏名
(4)当該労働者の疲労の蓄積の状況
(5)(4)のほか、当該労働者の心身の状況 　　　　　　　　　　（則52条の5）

6．記録の保存

事業者は、面接指導又は労働者指定医師による面接指導の結果に基づき、**5.**の **参考** (1)から(5)に掲げる事項及び面接指導を行った医師の意見を記載した当該面接指導の結果の記録を作成して、これを**5年間**保存しなければならない。

R2-8E （則52条の6,2項）

7．医師からの意見聴取

事業者は、面接指導又は労働者指定医師による面接指導の結果に基づき、当該労働者の健康を保持するために必要な措置について、当該面接指導が行われた後（労働者指定医師による面接指導を受けた場合にあっては、当該労働者が面接指導の結果を証明する書面を事業者に提出した後）、**遅滞なく**、医師の意見を聴かなければならない。　　　　　　　　　　（法66条の8,4項、則52条の7）

8．事後措置

事業者は、**7.**の規定による医師の意見を勘案し、その必要があると認めるときは、当該労働者の実情を考慮して、次の措置等を講ずるほか、当該医師の意見の衛生委員会若しくは安全衛生委員会又は労働時間等設定改善委員会への報告その他の適切な措置を講じなければならない。

(1) **就業場所の変更**

(2) **作業の転換**

(3) **労働時間の短縮**

(4) **深夜業の回数の減少** 　　　　　　　　　　　　　　　（法66条の8,5項）

9．面接指導対象外の労働者に対する努力義務

(1) 必要な措置

　　上記Ⅱの必要な措置は、面接指導の実施又は面接指導に準ずる措置とする。

(則52条の8,1項)

(2) 対象労働者

　　上記Ⅱの必要な措置は、事業場において定められた当該必要な措置の実施に関する基準に該当する者に対して行うものとする。

(則52条の8,2項)

❸ 研究開発業務従事者に対する面接指導
（法66条の8の2,1項、法66条の9） 重要度 A

★★★

> Ⅰ　**事業者**は、その労働時間が**労働者の健康の保持**を考慮して**厚生労働省令で定める時間**を超える労働者〔労働基準法第36条第11項に規定する業務（**新たな技術、商品又は役務の研究開発に係る業務**）に従事する者（労働基準法第41条該当者及び ❹ Ⅰに規定する者を除く。）に限る。〕に対し、**医師による面接指導**を行わなければならない。 R2-8B
>
> Ⅱ　**事業者**は、Ⅰの規定により**面接指導を行う労働者以外の労働者**であって**健康への配慮**が必要なものについては、厚生労働省令で定めるところにより、**必要な措置**を講ずるように**努め**なければならない。

概要

　　労働基準法による時間外労働の上限規制が適用されない新たな技術、商品又は役務の研究開発に係る業務に従事する労働者で、厚生労働省令で定める時間を超えて労働するものに対し、医師による面接指導（以下 ❸ において単に「面接指導」という。）を行うことが義務づけられている。

▌Check Point！

- □ 当該面接指導は、労働者の申出がなくとも一定の要件に該当する場合は事業者に実施義務が発生する（実施しない場合は50万円以下の罰金に処せられる）。
- □ 時間外・休日労働が1月当たり100時間を超えない場合であっても、当

該超えた時間が80時間を超え、かつ、疲労の蓄積が認められる場合には、「長時間労働者に対する面接指導」の対象となるため、当該労働者からの申出があれば、事業者は、面接指導を行わなければならない。

（平成30.12.28基発1228第16号）

１．対象労働者

(1)　Ⅰの厚生労働省令で定める時間は、休憩時間を除き**1週間当たり40時間を超えて**労働させた場合におけるその超えた時間（休日労働時間を含む。）について、**1月当たり100時間**とする。 `R2-8B` `R6-9B`

(2)　(1)の超えた時間の算定は、**毎月1回以上、一定の期日**を定めて行わなければならない。

（則52条の7の2）

２．面接指導の実施方法

面接指導は、1.(2)の期日後、**遅滞なく、（労働者からの申出の有無にかかわらず）** 行うものとする。 `R2-8B`

（則52条の7の2,2項）

３．準用等

❷の「3. 事業者による労働時間把握義務」、「4. 確認事項」、「5. 労働者指定医師による面接指導」、「6. 記録の保存」、「7. 医師からの意見聴取」の規定は、「研究開発業務従事者に対する面接指導」においても同様である。 `R2-8DE`

（法66条の8の2,2項、法66条の8の3、則52条の7の2,2項、則52条の7の3）

４．事後措置

事業者は、医師の意見を勘案し、その必要があると認めるときは、当該労働者の実情を考慮して、次の措置等を講ずるほか、当該医師の意見の衛生委員会若しくは安全衛生委員会又は労働時間等設定改善委員会への報告その他の適切な措置を講じなければならない。

(1)　**就業場所の変更**

(2)　**職務内容の変更**

(3)　**有給休暇**（労働基準法第39条の規定による有給休暇を除く。）**の付与**

(4)　**労働時間の短縮**

(5)　**深夜業の回数の減少**

（法66条の8の2,2項）

5．面接指導対象外の労働者に対する努力義務

(1) 必要な措置

　上記Ⅱの必要な措置は、面接指導の実施又は面接指導に準ずる措置とする。

（則52条の8,1項）

(2) 対象労働者

　上記Ⅱの必要な措置は、**事業場において定められた**当該必要な措置の実施に関する**基準**に該当する者に対して行うものとする。

（則52条の8,2項）

❹ 高度プロフェッショナル制度対象労働者に対する面接指導（法66条の8の4,1項、法66条の9）🅰

★★★

> Ⅰ　**事業者**は、労働基準法第41条の2第1項［**高度プロフェッショナル制度**］の規定により労働する労働者であって、その**健康管理時間**（同項第3号に規定する**健康管理時間**をいう。）が当該**労働者の健康の保持**を考慮して厚生労働省令で定める時間を超えるものに対し、**医師による面接指導**を行わなければならない。 R2-8C
>
> Ⅱ　**事業者**は、Ⅰの規定により**面接指導を行う労働者以外**の労働者であって**健康への配慮**が必要なものについては、厚生労働省令で定めるところにより、**必要な措置**を講ずるように**努め**なければならない。

概要

　高度プロフェッショナル制度（特定高度専門業務・成果型労働制）対象労働者で、健康管理時間が厚生労働省令で定める時間を超えるものに対し、医師による面接指導（以下❹において単に「面接指導」という。）を行うことが義務づけられている。

| Check Point！

- □ 当該面接指導は、労働者の申出がなくとも一定の要件に該当する場合は事業者に実施義務が発生する（実施しない場合は50万円以下の罰金に処せられる）。
- □ 健康管理時間が一定時間を超えた場合に当該面接指導の対象となる。

☐ 当該面接指導の要件を満たさない労働者から申出があった場合は、事業者は当該面接指導を実施するよう努めなければならない。

1．対象労働者

(1)　Ⅰの厚生労働省令で定める時間は、**1週間当たりの健康管理時間が40時間を超えた場合におけるその超えた時間について、1月当たり100時間**とする。 R2-8C

(2)　(1)の超えた時間の算定は、毎月1回以上、一定の期日を定めて行わなければならない。
(則52条の7の4)

2．面接指導の実施方法

面接指導は、1.(2)の期日後、遅滞なく、（**労働者からの申出の有無にかかわらず**）行うものとする。 R2-8C
(則52条の7の4,2項)

3．事業者による労働時間把握義務

高度プロフェッショナル制度対象労働者に対する面接指導においては、事業者による労働時間把握義務は規定されていない。なお、労働基準法においては、使用者による健康管理時間の把握義務が規定されている。 R2-8D

(法66条の8の3、労基法41条の2,1項3号)

4．準用

❷の「4.確認事項」、「5.労働者指定医師による面接指導」、「6.記録の保存」、「7.医師からの意見聴取」の規定は、「高度プロフェッショナル制度対象労働者に対する面接指導」においても同様である。 R2-8E

(法66条の8の4,2項、則52条の7の4,2項)

5．事後措置

事業者は、医師の意見を勘案し、その必要があると認めるときは、当該労働者の実情を考慮して、次の措置等を講ずるほか、当該医師の意見の衛生委員会若しくは安全衛生委員会又は労働時間等設定改善委員会への報告その他の適切な措置を講じなければならない。

(1)　**職務内容の変更**

(2)　**有給休暇**（労働基準法第39条の規定による有給休暇を除く。）**の付与**

(3)　**健康管理時間が短縮されるための配慮**
(法66条の8の4,2項)

6．面接指導対象外の労働者に対する努力義務

（1）必要な措置

上記Ⅱの必要な措置は、面接指導の実施とする。

（2）対象労働者

上記Ⅱの必要な措置は、高度プロフェッショナル制度**対象労働者の申出**により行うものとする。

（則52条の8,1項、3項）

問題チェック 予想問題

事業者は、労働安全衛生法第66条の8の4の高度プロフェッショナル制度対象労働者に対する面接指導の実施後、医師等の意見を勘案し、必要があると認めるときは、当該労働者の実情を考慮して、就業場所の変更等一定の措置を講じなければならない。

解答 ✕

法66条の8の4,2項

設問の一定の措置（事後措置）には、就業場所の変更は含まれていない。

---

7 心理的な負担の程度を把握するための検査等（ストレスチェック制度）

① 背景 重要度 B

★★

近年、仕事や職業生活に関して強い不安、悩み又はストレスを感じている労働者が5割を超える状況にある中、事業場において、より積極的に心の健康の保持増進を図るため、「労働者の心の健康の保持増進のための指針」（メンタルヘルス指針）を公表し、事業場におけるメンタルヘルスケアの実施を促進してきたところである。しかし、仕事による強いストレスが原因で精神障害を発病し、労災認定される労働者が、平成18年度以降も増加傾向にあり、労働者の**メンタルヘルス不調**を**未然に防止**することが益々重要な課題となっている。

こうした背景を踏まえ、平成26年6月25日に公布された「労働安全衛生法の一部を改正する法律」においては、心理的な負担の程度を把握するための検査（以下「ストレスチェック」という。）及びその結果に基づく面接指導の実施等を内容としたストレスチェック制度（労働安全衛生法第66条の10に係る事業場における一連の取組全体を指す）が新たに創設された（平成27年12月1日施行）。

趣旨

この制度は、労働者のストレスの程度を把握し、労働者自身のストレスへの気付きを促すとともに、**職場改善**につなげ、働きやすい職場づくりを進めることによって、労働者がメンタルヘルス不調となることを**未然に防止**すること（**一次予防**）を主な目的としたものである。

ストレスチェックと面接指導の実施に係る流れは、次のようになる。

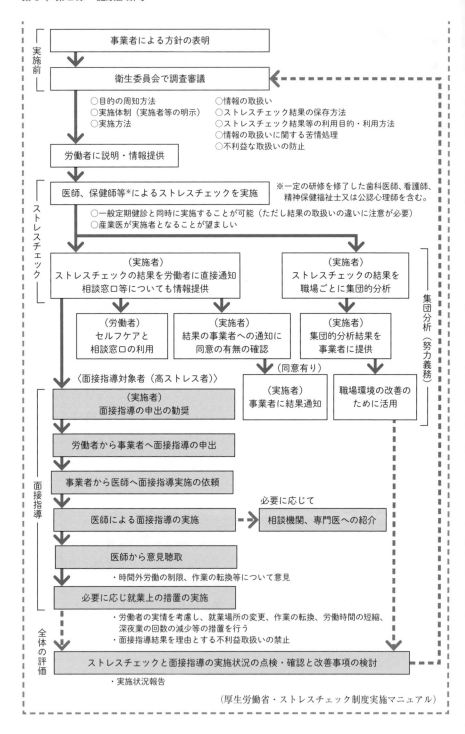

（厚生労働省・ストレスチェック制度実施マニュアル）

❷ 心理的な負担の程度を把握するための検査等（法66条の10,1項〜6項、則52条の12、則52条の19）重要度 A

★★★

Ⅰ　事業者は、労働者に対し、厚生労働省令で定めるところにより、**医師、保健師**その他の厚生労働省令で定める者（以下この条において「**医師等**」という。）による**心理的な負担**の程度を把握するための検査を行わなければならない。

Ⅱ　事業者は、Ⅰの規定により行う検査を受けた労働者に対し、当該検査を行った**医師等**から、**遅滞なく**、当該検査の結果が**通知**されるようにしなければならない。この場合において、当該**医師等**は、あらかじめ当該検査を受けた労働者の**同意**を得ないで、当該労働者の検査の結果を事業者に提供してはならない。

Ⅲ　事業者は、Ⅱの規定による**通知**を受けた労働者であって、**心理的な負担**の程度が労働者の**健康の保持**を考慮して厚生労働省令で定める要件に該当するものが**医師**による**面接指導**を受けることを希望する旨を申し出たときは、当該申出をした労働者に対し、厚生労働省令で定めるところにより、**医師**による**面接指導**を行わなければならない。この場合において、事業者は、労働者が当該申出をしたことを理由として、当該労働者に対し、**不利益な取扱い**をしてはならない。

Ⅳ　事業者は、厚生労働省令で定めるところにより、Ⅲの規定による面接指導の**結果を記録**しておかなければならない。

Ⅴ　事業者は、Ⅲの規定による**面接指導**の**結果**に基づき、当該労働者の**健康を保持**するために必要な措置について、面接指導が行われた後、遅滞なく、**医師**の**意見**を聴かなければならない。

Ⅵ　事業者は、Ⅴの規定による**医師**の**意見**を勘案し、その必要があると認めるときは、当該労働者の**実情**を考慮して、**就業場所の変更**、**作業の転換**、**労働時間の短縮**、**深夜業**の**回数の減少**等の措置を講ずるほか、当該**医師**の**意見**の衛生委員会若しくは**安全衛生委員会**又は**労働時間等設定改善委員会**への報告その他の適切な措置を講じなければならない。

│Check Point!│

- □ ストレスチェック制度は義務規定であるが、産業医の選任義務のない事業場（常用労働者50人未満の事業場）については、当分の間、努力義務とされている。 H30-10A
- □ 下記「4．検査結果の集団ごとの分析等」の規定は努力義務である。

1．心理的な負担の程度を把握するための検査の実施方法

事業者は、**常時使用する労働者**に対し、**1年以内ごとに1回**、定期に、次に掲げる事項について上記Ⅰに規定する心理的な負担の程度を把握するための検査（以下「検査」という。）を行わなければならない。 H30-10A

(1) 職場における当該労働者の心理的な負担の原因に関する項目 H30-10B

(2) 当該労働者の心理的な負担による心身の自覚症状に関する項目 H30-10D

(3) 職場における他の労働者による当該労働者への支援に関する項目 H30-10C

（則52条の9）

2．検査の実施者等

(1) 上記Ⅰの厚生労働省令で定める者は、次に掲げる者とする。

① **医師**

② **保健師**

③ 検査を行うために必要な知識についての研修であって厚生労働大臣が定めるものを修了した**歯科医師**、**看護師**、**精神保健福祉士**又は**公認心理師**

H28-選E

(2) 検査を受ける労働者について解雇、昇進又は異動に関して直接の権限を持つ監督的地位にある者は、検査の実施の事務に従事してはならない。 H30-10E

（則52条の10）

3．労働者の同意の取得等

(1) 上記Ⅱ後段の規定による労働者の同意の取得は、書面又は電磁的記録によらなければならない。

(2) 事業者は、(1)により検査を受けた労働者の同意を得て、当該検査を行った医師等から当該労働者の検査の結果の提供を受けた場合には、当該検査の結果に基づき、当該検査の結果の記録を作成して、これを**5年間保存**しなければならない。

（則52条の13）

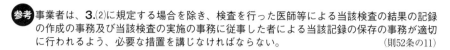

参考 事業者は、**3.**(2)に規定する場合を除き、検査を行った医師等による当該検査の結果の記録の作成の事務及び当該検査の実施の事務に従事した者による当該記録の保存の事務が適切に行われるよう、必要な措置を講じなければならない。
(則52条の11)

4. 検査結果の集団ごとの分析等（努力義務）

(1) 事業者は、検査を行った場合は、当該検査を行った医師等に、当該検査の結果を当該事業場の当該部署に所属する労働者の集団その他の一定規模の集団ごとに集計させ、その結果について分析させるよう努めなければならない。

(2) 事業者は、(1)の分析の結果を勘案し、その必要があると認めるときは、当該集団の労働者の実情を考慮して、当該集団の労働者の心理的な負担を軽減するための適切な措置を講ずるよう努めなければならない。
(則52条の14)

5. 面接指導の対象となる労働者の要件

上記Ⅲの厚生労働省令で定める要件は、検査の結果、心理的な負担の程度が高い者であって、上記Ⅲに規定する面接指導を受ける必要があると当該検査を行った医師等が認めたものであることとする。
(則52条の15)

6. 面接指導の実施方法等

(1) 上記Ⅲの面接指導を受けることを希望する旨の申出は、面接指導の対象となる労働者の要件に該当する労働者が検査の結果の通知を受けた後、遅滞なく行うものとする。

(2) 事業者は、面接指導の対象となる労働者の要件に該当する労働者から申出があったときは、遅滞なく、面接指導を行わなければならない。

(3) 検査を行った医師等は、面接指導の対象となる労働者の要件に該当する労働者に対して、申出を行うよう勧奨することができる。
(則52条の16)

参考 (面接指導における確認事項)
医師は、面接指導を行うに当たっては、申出を行った労働者に対し、則第52条の9各号（**1.**の(1)～(3)）に掲げる事項のほか、次に掲げる事項について確認を行うものとする。
(1)当該労働者の勤務の状況
(2)当該労働者の心理的な負担の状況
(3)(2)に掲げるもののほか、当該労働者の心身の状況
(則52条の17)

(面接指導結果の記録の作成)
1. 事業者は、面接指導の結果に基づき、当該面接指導の結果の記録を作成して、これを**5年間保存**しなければならない。
2. 1.の記録は、則第52条の17各号に掲げる事項のほか、次に掲げる事項を記載したものでなければならない。
(1)実施年月日
(2)当該労働者の氏名
(3)面接指導を行った医師の氏名
(4)上記Ⅴの規定による医師の意見
(則52条の18)

7. 検査及び面接指導結果の報告 🔧改正

　常時50人以上の労働者を使用する事業者は、**1年以内ごとに1回**、定期に、**電子情報処理組織**を使用して、**検査及び面接指導の結果等**について、所定の事項を**所轄労働基準監督署長**に報告しなければならない。

(則52条の21)

8. 指針等

(1)　**厚生労働大臣**は、上記Ⅵの規定により事業者が講ずべき措置の適切かつ有効な実施を図るため必要な**指針**を**公表**するものとする。

(2)　**厚生労働大臣**は、(1)の指針を**公表**した場合において必要があると認めるときは、事業者又はその団体に対し、当該**指針**に関し**必要な指導**等を行うことができる。

(3)　**国**は、心理的な負担の程度が労働者の**健康の保持**に及ぼす影響に関する医師等に対する研修を実施するよう**努める**とともに、上記Ⅱの規定により通知された検査の結果を利用する労働者に対する健康相談の実施その他の当該労働者の健康の保持増進を図ることを促進するための措置を講ずるよう**努める**ものとする。

(法66条の10,7項〜9項)

9. 派遣労働者に関する留意事項

(1)　**派遣元事業者と派遣先事業者の役割**

　派遣労働者に対する**ストレスチェック**及び**面接指導**については、上記ⅠからⅥまでの規定に基づき、**派遣元**事業者がこれらを実施することとされている。

　一方、努力義務となっている**集団ごとの集計・分析**については、職場単位で実施することが重要であることから、派遣先事業者においては、派遣先事業場における派遣労働者も含めた一定規模の集団ごとにストレスチェック結果を集計・分析するとともに、その結果に基づく措置を実施することが望ましい。

(2)　**派遣労働者に対する就業上の措置に関する留意点**

　派遣元事業者が、派遣労働者に対する面接指導の結果に基づき、医師の意見を勘案して、就業上の措置を講じるに当たって、派遣先事業者の協力が必要な場合には、派遣元事業者は、派遣先事業者に対して、当該措置の実施に協力するよう要請することとし、派遣先事業者は、派遣元事業者から要請があった場合には、これに応じ、必要な協力を行うこととする。この場合において、派遣元事業者は、派遣先事業者への要請について、あらかじめ、当該

派遣労働者の同意を得なければならない。

(3) 費用負担等

① ストレスチェック及び面接指導の費用については、法で事業者にストレスチェック及び面接指導の実施の義務を課している以上、当然、事業者が負担すべきものである。

② ストレスチェック及び面接指導を受けるのに要した時間に係る賃金の支払いについては、当然には事業者の負担すべきものではなく、労使協議をして定めるべきものであるが、労働者の健康の確保は、事業の円滑な運営の不可欠な条件であることを考えると、ストレスチェック及び面接指導を受けるのに要した時間の賃金を事業者が支払うことが望ましい。

（心理的な負担の程度を把握するための検査及び面接指導の実施
並びに面接指導結果に基づき事業者が講ずべき措置に関する指針、平成27.5.1基発0501第３号）

問題チェック H30-10E

ストレスチェックを受ける労働者について解雇、昇進又は異動に関して直接の権限を持つ監督的地位にある者は、検査の実施の事務に従事してはならないので、ストレスチェックを受けていない労働者を把握して、当該労働者に直接、受検を勧奨してはならない。

解答 ✕　　　　　　　　　　　　　則52条の10,2項、平成27.5.1基発0501第３号

ストレスチェックを受けていない労働者に対する受検の勧奨の事務については、設問の監督的地位にある者が従事しても差し支えないとされている。

健康管理手帳の交付及びその他の措置

① 健康管理手帳 (法67条1項～3項) B ★★

Ⅰ　都道府県労働局長は、**がんその他の重度の健康障害を生ずるおそれのある業務**で、政令で定めるものに従事していた者のうち、厚生労働省令で定める要件に該当する者に対し、**離職の際に又は離職の後**に、当該**業務に係る健康管理手帳を交付**するものとする。ただし、**現に当該業務に係る健康管理手帳を所持**している者については、この限りでない。

Ⅱ　**政府**は、**健康管理手帳を所持**している者に対する**健康診断**に関し、**必要な措置**を行なう。

Ⅲ　**健康管理手帳の交付**を受けた者は、当該健康管理手帳を**他人に譲渡**し、又は**貸与**してはならない。

趣旨

　離職後の労働者について、その従事した業務に起因して発生する疾病で、発病した場合、重度の健康障害を引き起こすものの早期発見のため健康管理手帳制度を設け、離職後の健康診断については、国が必要な措置を取ることとしたものである。

Check Point!

□　健康管理手帳の交付は、交付要件該当者の申請に基づいて、所轄都道府県労働局長（離職の後に交付要件に該当する者にあっては、その者の住所を管轄する都道府県労働局長）が行う。

(則53条2項)

参考 (主な交付対象者)

健康管理手帳の主な交付対象者をあげると次のとおりである。

(1)**ベンジジン**、ベーターナフチルアミン、ジアニシジン及びこれらの塩の製造・取扱業務に3月以上従事した経験を有する者

(2)石綿等の製造・取扱業務に従事した者で一定の取扱作業に10年以上従事した経験を有する者

⑶1,2-ジクロロプロパンの取扱業務（屋内作業場等における印刷機その他の設備の清掃の業務に限る。）に2年以上従事した経験を有する者

⑷3,3′-ジクロロ-4,4′-ジアミノジフェニルメタンの製造・取扱業務に2年以上従事した経験を有する者　　　　　　　　　　（令23条、則52条の22、則53条1項）

（受診の勧告）
都道府県労働局長は、健康管理手帳を交付するときは、厚生労働大臣が定める健康診断を受けることを勧告するとともに、健康診断の回数、方法等の必要事項を通知する。

（則55条、則56条）

（手帳の提出等）
⑴健康管理手帳の交付を受けた者（以下「手帳所持者」という。）は、上記の勧告に係る健康診断（以下「健康診断」という。）を受けるときは、健康管理手帳を当該健康診断を行う医療機関に提出しなければならない。

⑵⑴の医療機関は、手帳所持者に対し健康診断を行ったときは、その結果をその者の健康管理手帳に記載しなければならない。

⑶⑴の医療機関は、手帳所持者に対し健康診断を行ったときは、遅滞なく、報告書を当該医療機関の所在地を管轄する都道府県労働局長に提出しなければならない。　　（則57条）

（手帳の返還）
手帳所持者が死亡したときは、当該手帳所持者の相続人又は法定代理人は、遅滞なく、健康管理手帳をその者の住所を管轄する都道府県労働局長に返還しなければならない。

（則60条）

❷ 病者の就業禁止（法68条、則61条）｜B｜ ★★

I　**事業者**は、**伝染性の疾病その他の疾病**で、次のいずれかにかかった**労働者**については、その**就業を禁止しなければならない**。ただし、ⅰに掲げる者について**伝染予防の措置**をした場合は、この限りでない。 R5-選E

　ⅰ　**病毒伝ぱのおそれのある伝染性の疾病**にかかった者

　ⅱ　**心臓、腎臓、肺**等の疾病で**労働のため病勢が著しく増悪するおそれのあるもの**にかかった者

　ⅲ　ⅰⅱに準ずる疾病で**厚生労働大臣が定めるもの**※にかかった者

Ⅱ　**事業者**は、Iの規定により、**就業を禁止**しようとするときは、**あらかじめ、産業医その他専門の医師の意見をきかなければならない**。

　※　現在定めなし。

概要

特定の業務への就業禁止については各規則に定められており、例えば次のとおりである。

⑴　鉛中毒にかかっている労働者を鉛業務に就かせること。

　(2)　四アルキル鉛中毒にかかっている労働者を四アルキル鉛等業務に就か
　　　せること。

　(3)　貧血症等の疾病にかかっている労働者を高気圧業務（高圧室内業務又
　　　は潜水業務）に就かせること。

（鉛則57条１項、四アルキル則26条１項、高圧則41条１項）

❸ 受動喫煙の防止（法68条の2、法71条1項、健康増進法28条3号）重要度 B　★★

Ⅰ　**事業者**は、**室内**又はこれに準ずる環境における労働者の**受動喫煙**（人が**他人の喫煙**によりたばこから発生した煙にさらされることをいう。Ⅱにおいて同じ。）を防止するため、当該事業者及び事業場の**実情に応じ適切な措置**を講ずるよう**努めるもの**とする。

Ⅱ　**国**は、労働者の健康の保持増進に関する措置の適切かつ有効な実施を図るため、必要な資料の提供、作業環境測定及び健康診断の実施の促進、**受動喫煙**の防止のための**設備の設置**の促進、事業場における健康教育等に関する指導員の確保及び資質の向上の促進その他の必要な援助に**努めるもの**とする。

▌Check Point！

□　受動喫煙防止のため、事業者及び事業場の実情に応じ適切な措置を講じることが事業者の努力義務とされている。

❹ 作業時間の制限（法65条の4）重要度 B　★★

　事業者は、潜水業務その他の**健康障害を生ずるおそれのある業務**で、厚生労働省令で定めるものに従事させる労働者については、厚生労働省令で定める**作業時間**についての**基準に違反**して、当該業務に**従事させてはならない**。

❺ その他の努力義務 重要度 B

1 作業管理 (法65条の3)

★★

> **事業者**は、**労働者**の健康に**配慮**して、**労働者の従事する作業**を適切に管理するように**努めなければならない**。 H29-選E

参考 (労働衛生の3管理)

労働衛生の3管理とは、「**作業環境管理**」「**作業管理**」「**健康管理**」の3つを指し、職場における労働者の健康の保持増進を図るためには、この3管理が総合的に機能することが必要であるといわれている。

「作業環境管理」とは、作業環境測定を行い作業環境中の有害因子の状態を把握して、できるかぎり良好な状態で管理することをいう。

「作業管理」とは、環境を汚染させないような作業方法や、有害要因のばく露や作業負荷を軽減するような作業方法を定めて、それが適切に実施されるように管理することをいう。

「健康管理」とは、個々の労働者の健康の状態を健康診断により直接チェックし、健康の異常を早期に発見したり、その進行や増悪を防止したり、元の健康状態に回復するための医学的及び労務管理的な措置をすることをいう。

(過労自殺と使用者の損害賠償責任)

労働者が労働日に長時間にわたり業務に従事する状況が継続するなどして、疲労や心理的負荷等が過度に蓄積すると、労働者の心身の健康を損なう危険のあることは、周知のところである。労働基準法は、労働時間に関する制限を定め、労働安全衛生法第65条の3は、作業の内容等を特に限定することなく、同法所定の事業者は労働者の健康に配慮して労働者の従事する作業を適切に管理するように努めるべき旨を定めているが、それは、右のような危険が発生するのを防止することをも目的とするものと解される。

(最二小平成12.3.24電通事件)

2 健康教育等 (法69条、法70条)

★

> Ⅰ **事業者**は、**労働者**に対する**健康教育及び健康相談**その他**労働者の健康の保持増進**を図るため**必要な措置**を**継続的かつ計画的**に講ずるように**努めなければならない**。
>
> Ⅱ **労働者**は、Ⅰの**事業者**が講ずる措置を**利用**して、その**健康の保持増進に努めるものとする**。
>
> Ⅲ **事業者**は、Ⅰに定めるもののほか、**労働者の健康の保持増進を図る**ため、**体育活動、レクリエーションその他の活動**についての**便宜を供与**する等**必要な措置**を講ずるように**努めなければならない**。

③ 事業者が講ずべき快適な職場環境の形成のための措置
（法71条の2）

★

　事業者は、事業場における安全衛生の水準の向上を図るため、次の措置を継続的かつ計画的に講ずることにより、快適な職場環境を形成するように努めなければならない。

- i　作業環境を快適な状態に維持管理するための措置
- ii　労働者の従事する作業について、その方法を改善するための措置
- iii　作業に従事することによる労働者の疲労を回復するための施設又は設備の設置又は整備
- iv　iからiiiに掲げるもののほか、快適な職場環境を形成するため必要な措置

第6章

特別安全衛生改善計画等、監督等及び雑則等

特別安全衛生改善計画等

❶ 特別安全衛生改善計画（法78条）重要度 A ★★★

Ⅰ　**厚生労働大臣**は、**重大な労働災害**として厚生労働省令で定めるもの（以下この条において「**重大な労働災害**」という。）が発生した場合において、**重大な労働災害の再発**を防止するため必要がある場合として厚生労働省令で定める場合に該当すると認めるときは、事業者に対し、その事業場の安全又は衛生に関する改善計画（以下「**特別安全衛生改善計画**」という。）を作成し、これを**厚生労働大臣**に提出すべきことを**指示**することができる。

Ⅱ　事業者は、**特別安全衛生改善計画**を作成しようとする場合には、当該事業場に労働者の過半数で組織する労働組合があるときにおいてはその労働組合、労働者の過半数で組織する労働組合がないときにおいては労働者の過半数を代表する者の意見を聴かなければならない。

Ⅲ　Ⅰの事業者及びその労働者は、**特別安全衛生改善計画**を守らなければならない。

Ⅳ　**厚生労働大臣**は、**特別安全衛生改善計画**が**重大な労働災害の再発**の防止を図る上で適切でないと認めるときは、事業者に対し、当該**特別安全衛生改善計画**を変更すべきことを**指示**することができる。

Ⅴ　**厚生労働大臣**は、Ⅰ若しくはⅣの規定による指示を受けた事業者がその**指示**に従わなかった場合又は**特別安全衛生改善計画**を作成した事業者が当該**特別安全衛生改善計画**を守っていないと認める場合において、**重大な労働災害が再発**するおそれがあると認めるときは、当該事業者に対し、**重大な労働災害の再発**の防止に関し必要な措置をとるべきことを**勧告**することができる。

Ⅵ　**厚生労働大臣**は、Ⅴの規定による**勧告**を受けた事業者がこれに従わなかったときは、その旨を**公表**することができる。

概要

重大な労働災害を繰り返す企業に対して、厚生労働大臣が「特別安全衛生改善計画」の作成を指示することができることとされ、また、計画の作成指示に従わない場合、計画を守っていない場合等に、厚生労働大臣が必要な措置をとるべきことを勧告し、勧告に従わないときはその旨を公表することができることとされている。

Check Point!

□ 当該規定は、同様の重大な労働災害が同一企業の別の事業場で発生することを未然に防止するためのものである。

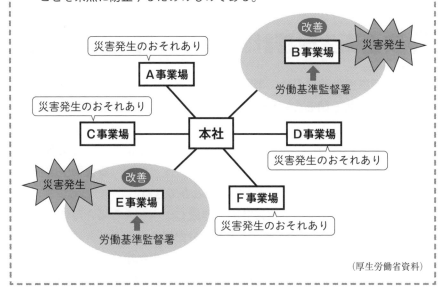

(厚生労働省資料)

・**重大な労働災害**

(1) 上記Ⅰの厚生労働省令で定める重大な労働災害は、労働災害のうち、次の①②のいずれかに該当するものとする。

① 労働者が**死亡**したもの

② 労働者が負傷し、又は疾病にかかったことにより、労働者災害補償保険法施行規則別表第1**第1級**の項から**第7級**の項までの身体障害欄に掲げる障害のいずれかに該当する障害が生じたもの又は生じるおそれのあるもの

(2) 上記Ⅰの厚生労働省令で定める場合は、次の①②のいずれにも該当する場合とする。

① （1)の重大な労働災害を発生させた事業者が、当該重大な労働災害を発生させた日から起算して**3年以内**に、当該**重大な労働災害が発生した事業場以外**の事業場において、当該重大な労働災害と再発を防止するための措置が同様である重大な労働災害を発生させた場合

② ①の事業者が発生させた重大な労働災害及び当該重大な労働災害と再発を防止するための措置が同様である重大な労働災害が、いずれも当該事業者が労働安全衛生法、じん肺法若しくは作業環境測定法若しくはこれらに基づく命令の規定又は労働基準法第36条第6項第1号、第62条第1項若しくは第2項、第63条、第64条の2若しくは第64条の3第1項若しくは第2項若しくはこれらの規定に基づく命令の規定に**違反して発生させたもの**である場合

(則84条)

② 安全衛生改善計画（法79条）重要度 B ★★

Ⅰ　**都道府県労働局長**は、**事業場の施設**その他の事項について、**労働災害の防止を図る**ため総合的な改善措置を講ずる**必要**があると認めるとき（第78条第1項の規定により厚生労働大臣が同項の厚生労働省令で定める場合に該当すると認めるときを除く。）は、**事業者**に対し、当該**事業場**の安全又は衛生に関する改善計画（**安全衛生改善計画**）を**作成**すべきことを**指示**することができる。

Ⅱ　**事業者**は、**安全衛生改善計画**を**作成**しようとする場合には、当該**事業場**に**労働者**の過半数で**組織する労働組合**があるときにおいてはその**労働組合**、**労働者**の過半数で**組織する労働組合**がないときにおいては**労働者**の過半数を**代表する者**の**意見を聴か**なければならない。

Ⅲ　Ⅰの事業者及びその労働者は、**安全衛生改善計画**を守らなければならない。

③ 安全衛生診断（法80条）重要度 B ★★

Ⅰ　**厚生労働大臣**は、第78条第1項又は第4項の規定による**特別安全衛生改善計画**の**作成**又は**変更**の指示をした場合において、**専門的な**

助言を必要とすると認めるときは、当該**事業者**に対し、**労働安全コ
ンサルタント又は労働衛生コンサルタント**による**安全又は衛生**に係
る**診断**を受け、かつ、**特別安全衛生改善計画の作成又は変更**につい
て、これらの者の**意見を聴くべき**ことを**勧奨**することができる。

Ⅱ 都道府県労働局長は、第79条第１項の規定による**安全衛生改善計
画**の作成の指示をした場合において、**専門的な助言**を必要とすると
認めるときは、当該**事業者**に対し、**労働安全コンサルタント又は労
働衛生コンサルタント**による安全又は衛生に係る**診断**を受け、かつ、
安全衛生改善計画の作成について、これらの者の**意見を聴くべき**こ
とを**勧奨**することができる。

❹ 労働安全コンサルタント及び 労働衛生コンサルタント 重要度 B

1 業務 （法81条） ★★

Ⅰ **労働安全コンサルタント**は、**労働安全コンサルタント**の**名称**を用
いて、**他人の求めに応じ報酬**を得て、**労働者**の**安全の水準の向上**を
図るため、**事業場**の**安全についての診断**及びこれに基づく**指導**を行
なうことを業とする。

Ⅱ **労働衛生コンサルタント**は、**労働衛生コンサルタント**の**名称**を用
いて、**他人の求めに応じ報酬**を得て、**労働者**の**衛生の水準の向上**を
図るため、**事業場**の**衛生についての診断**及びこれに基づく**指導**を行
なうことを業とする。

2 登録 （法84条1項、コンサルタント則16条） ★★

労働安全コンサルタント試験又は労働衛生コンサルタント試験に**合
格**した者は、厚生労働省に備える**労働安全コンサルタント名簿**又は労
働衛生コンサルタント名簿に、**氏名**、**事務所の名称**並びに**所在地**、旧

第6章

姓を使用した氏名又は**通称の併記**を希望する場合にあっては、**その氏名又は通称、生年月日、合格した**試験の区分及び**合格した年月日**の登録を受けて、**労働安全コンサルタント**又は**労働衛生コンサルタント**（以下「コンサルタント」という。）となることができる。

▌Check Point!▶

☐ コンサルタント試験は、所定の区分（労働安全コンサルタントの場合は機械、電気、化学、土木又は建築、労働衛生コンサルタントの場合は保健衛生又は労働衛生工学）ごとに、筆記試験及び口述試験によって行われる。

☐ この試験の区分は、いわば得意とする専門分野を示すものであり、コンサルタントの活動分野を制限するものではない。

【例】「機械」の試験区分で試験を受けた者でも、建設工事現場、化学設備等についてのコンサルティング活動をすることができる。

(法82条2項、法83条2項、コンサルタント則1条、10条他)

☐ 厚生労働大臣は、コンサルタントが下記 **参考** (1)から(3)のいずれかに該当するに至ったときは、その登録を取り消さなければならない。(法85条1項)

参考 (登録の欠格事由)

次のいずれかに該当する者は、コンサルタントの登録を受けることができない。

(1) 心身の故障により労働安全コンサルタント又は労働衛生コンサルタントの業務を適正に行うことができない者として厚生労働省令で定めるもの

(2) 労働安全衛生法又は同法に基づく命令の規定に違反して、罰金以上の刑に処せられ、その執行を終わり、又は執行を受けることがなくなった日から起算して**2年を経過しない者**

(3) 労働安全衛生法及び同法に基づく命令以外の法令の規定に違反して、禁錮以上の刑に処せられ、その執行を終わり、又は執行を受けることがなくなった日から起算して**2年を経過しない者**

(4) 厚生労働大臣によりコンサルタントの登録を取り消され、その取消しの日から起算して**2年を経過しない者**

(法84条2項)

---

③ **義務** (法86条)　★★

Ⅰ　コンサルタントは、**コンサルタントの信用を傷つけ、又はコンサルタント全体の不名誉となるような行為**をしてはならない。

Ⅱ　コンサルタントは、その業務に関して知り得た秘密を漏らし、又

> は盗用してはならない。**コンサルタントでなくなった後**においても、**同様**とする。

▌Check Point!▶

□ 厚生労働大臣は、コンサルタントが本条の規定に違反したときは、その
登録を取り消すことができる。

(法85条2項)

問題チェック H15-10C

　労働安全衛生法においては、労働安全コンサルタント又は労働衛生コンサルタントでない者は、労働安全コンサルタント若しくは労働衛生コンサルタント又はこれらに類似する名称を用いてはならない旨規定されている。

解答 ✕

法81条〜法87条

　設問のような規定は設けられていない。

計画の届出等

❶ 届出の種類 [重要度 A] ★★★

計画の届出についてまとめると、次の通りである。

届出の種類	届出期限	届出先	免除認定
危険・有害機械等設置等の届出	工事開始日の30日前まで	労働基準監督署長	有
大規模建設業の仕事の届出	仕事開始日の30日前まで	**厚生労働大臣**	無
一定建設業等の仕事の届出	仕事開始日の**14日前**まで	労働基準監督署長	無

❷ 危険・有害機械等設置等の届出 [重要度 A]

1 届出 （法88条1項本文） ★★★

事業者は、**機械等**で、**危険若しくは有害な作業**を必要とするもの、**危険な場所**において使用するもの又は**危険若しくは健康障害**を**防止**するため使用するもののうち、厚生労働省令で定めるものを**設置**し、若しくは移転し、又はこれらの**主要構造部分を変更**しようとするときは、その**計画を当該工事の開始の日の30日前**までに、**労働基準監督署長**に**届け出なければならない。** R6-10A

・**対象機械等**

当該届出の対象機械等には次のようなものがある。

・**一定の動力プレス** R6-10E

・一定のアセチレン溶接装置・ガス集合溶接装置

・一定の化学設備・乾燥設備・粉じん作業設備

・**特定機械等** R6-10D

（則85条、則別表第7、クレーン則3条1項カッコ書、同則5条、同則44条、ボイラー則10条他）

2 **届出の免除**（法88条1項ただし書、則87条）

次のⅰⅱの措置を講じているものとして、**労働基準監督署長**が認定した**事業者**については、法第88条第1項本文の**届出を要しない。**

ⅰ 法第28条の2第1項又は第57条の3第1項及び第2項の**危険性又は有害性等の調査**及びその**結果**に基づき講ずる措置

ⅱ ⅰのほか、則第24条の2の指針［**労働安全衛生マネジメントシステムに関する指針**］に従って**事業者**が行う**自主的活動**

1．認定の要件

事業者から当該認定の申請があった場合、**所轄労働基準監督署長**は、当該認定を受けようとする事業場が次に示す要件のすべてに適合しているときは、当該認定を行わなければならず、当該認定を受けた事業場については、①の届出が免除される。

(1) 則第87条の措置（上記ⅰⅱの措置）を適切に実施していること。

(2) 労働災害の発生率が、当該事業場の属する業種における平均的な労働災害の発生率を下回っていると認められること。

(3) 申請の日前**1年間**に労働者が死亡する労働災害その他の重大な労働災害が発生していないこと。

（法88条1項ただし書）

参考 1．(2)の「労働災害の発生率が、当該事業場の属する業種における平均的な労働災害の発生率を下回っていると認められること」とは、認定を受けようとする事業場に係る申請の日前1年間に通知された労災保険のメリット収支率が75％以下である場合又はそれに相当する場合をいう。
（則87条の4、平成18.2.24基発0224003号）

2．認定の単位

当該認定は、事業場（建設業に属する事業の仕事を行う事業者については、当該仕事の請負契約を締結している事業場）ごとに行われる。

（則87条の2、則88条1項）

3．認定の申請

当該認定の申請をしようとする事業者は、認定を受けようとする事業場ごとに、則第87条の措置（上記ⅰⅱの措置）の実施状況について、申請の日前3月以内に**2人以上**の安全に関して優れた識見を有する者又は衛生に関して優れた識見を有する者による評価を受けるとともに、当該評価について**1人以上**の安全に関して優れた識見を有する者及び**1人以上**の衛生に関して優れた識見を有する者による監査を受けなければならない。

（則87条の5,1項2号、3号）

4.　認定の有効期間

当該認定は、**3年ごと**にその**更新**を受けなければ、その期間の経過によって、その効力を失う。

(則87条の6,1項)

5.　実施状況の報告

当該認定を受けた事業者は、認定に係る事業場（**6.**において「認定事業場」という。）ごとに、**1年以内ごとに1回**、実施状況等報告書に則第87条の措置（上記ⅰⅱの措置）の実施状況について行った監査の結果を記載した書面を添えて、**所轄労働基準監督署長**に**提出**しなければならない。

(則87条の7)

6.　措置の停止

当該認定を受けた事業者は、認定事業場において則第87条の措置（上記ⅰⅱの措置）を行わなくなったときは、遅滞なく、その旨を**所轄労働基準監督署長**に**届け出**なければならない。

(則87条の8)

❸ 大規模建設業の仕事の届出（法88条2項）重要度 A

★★★

> **事業者**は、**建設業**に属する事業の仕事のうち**重大な労働災害を生ずるおそれがある特に大規模な仕事**で、厚生労働省令で定めるものを開始しようとするときは、その**計画を当該仕事の開始の日の30日前**までに、**厚生労働大臣**に**届け出なければならない。** R6-10B

・**対象となる仕事**

当該計画の届出を要する仕事は、次のとおりである。

⑴　高さが**300メートル以上の塔**の建設の仕事

⑵　堤高が150メートル以上のダムの建設の仕事

⑶　最大支間500メートル（つり橋にあっては、1,000メートル）以上の橋梁の建設の仕事

⑷　長さが3,000メートル以上のずい道等の建設の仕事

⑸　長さが1,000メートル以上3,000メートル未満のずい道等の建設の仕事で、深さが50メートル以上のたて坑（通路として使用されるものに限る。）の掘削を伴うもの

⑹　ゲージ圧力が0.3メガパスカル以上の圧気工法による作業を行う仕事

(則89条)

❹ 一定建設業等の仕事の届出
（法88条3項、令24条） 重要度A

★★★

> **事業者**は、**建設業**（第88条第2項の**大規模建設業の仕事の届出の対象となるものを除く。**）及び**土石採取業**の仕事で、厚生労働省令で定めるものを**開始**しようとするときは、その**計画**を当該**仕事の開始の日の14日前**までに、**労働基準監督署長**に**届け出なければならない。** R6-10C

・**対象となる仕事**

当該計画の届出を要する仕事は、次のとおりである。

(1) 高さ31メートルを超える建築物又は工作物（橋梁を除く。）の建設、改造、解体又は破壊（以下「建設等」という。）の仕事

(2) 最大支間50メートル以上の橋梁の建設等の仕事

(3) 最大支間30メートル以上50メートル未満の橋梁の上部構造の建設等の仕事（人口が集中している地域内における道路上若しくは道路に隣接した場所又は鉄道の軌道上若しくは軌道に隣接した場所において行われるものに限る。）

(4) **ずい道等**の建設等の仕事（ずい道等の内部に労働者が立ち入らないものを除く。）

(5) 掘削の高さ又は深さが10メートル以上である地山の掘削（ずい道等の掘削及び岩石の採取のための掘削を除く。以下同じ。）の作業（掘削機械を用いる作業で、掘削面の下方に労働者が立ち入らないものを除く。）を行う仕事

(6) **圧気工法**による作業を行う仕事

(7) 建築物、工作物又は鋼製の船舶に吹き付けられている石綿等（石綿等が使用されている仕上げ用塗り材を除く。）の除去、封じ込め又は囲い込みの作業を行う仕事

(8) 建築物、工作物又は鋼製の船舶に張り付けられている石綿等が使用されている保温材、耐火被覆材（耐火性能を有する被覆材をいう。）等の除去、封じ込め又は囲い込みの作業（石綿等の粉じんを著しく発散するおそれのあるものに限る。）を行う仕事

(9) ダイオキシン類対策特別措置法施行令別表第1第5号に掲げる廃棄物焼却炉（一定以上の焼却能力のもの等に限る。）を有する廃棄物の焼却施設に設置された廃棄物焼却炉、集じん機等の設備の解体等の仕事

(10) 掘削の高さ又は深さが10メートル以上の土石の採取のための掘削の作業を

行う仕事

(11)　坑内掘りによる土石の採取のための掘削の作業を行う仕事　　　（則90条）

❺ 有資格者の参画（法88条4項）**B** ★★

事業者は、第88条第1項［危険・有害機械等設置等の届出］の規定による**届出**に係る**工事**のうち厚生労働省令で定める**工事の計画**、同条第2項［大規模建設業の仕事の届出］の規定による**仕事の計画**又は第3項［一定建設業等の仕事の届出］の規定による届出に係る仕事のうち厚生労働省令で定める**仕事の計画**を作成するときは、当該工事に係る**建設物**若しくは**機械等**又は当該**仕事**から生ずる**労働災害の防止**を図るため、厚生労働省令で定める**資格を有する者**を**参画させなければならない**。

Check Point!

□ 参画させるべき有資格者の数については特に定めはない。

参考（有資格者の参画に係る工事又は仕事の範囲）
厚生労働大臣への届出に係る仕事の計画は、すべて有資格者の参画の対象とされ、労働基準監督署長への届出に係る工事又は仕事の計画については建設業に属するもの等厚生労働省令で定める工事又は仕事が参画の対象とされている。　　　（則92条の2）

❻ 計画の審査（法89条1項、法89条の2,1項）**B** ★★

Ⅰ　**厚生労働大臣**は、第88条第1項から第3項までの規定による**届出**があった**計画**のうち、**高度の技術的検討**を要するものについて**審査をすることができる**。

Ⅱ　**都道府県労働局長**は、第88条第1項又は第3項の規定による**届出**があった**計画**のうち、**高度の技術的検討**を要するものに準ずるものについて**審査をすることができる**。

参考（意見聴取）
厚生労働大臣又は都道府県労働局長は、上記審査を行なうに当たっては、**学識経験者の意見**をきかなければならない。
　　　（法89条2項、法89条の2,2項）

（勧告又は要請）
厚生労働大臣又は都道府県労働局長は、審査の結果必要があると認めるときは、あらかじ
め、届出をした**事業者の意見**をきいたうえで、当該事業者に対し、労働災害の防止に関す
る事項について必要な勧告又は要請をすることができる。

（法89条3項、4項、法89条の2,2項）

❼ 工事開始差止命令等 （法88条6項） **B** ★★

労働基準監督署長は第88条第1項又は第3項の規定による**届出**があ
った場合において、**厚生労働大臣**は同条第2項の規定による**届出**があ
った場合において、それぞれ当該届出に係る事項が労働安全衛生法又
は同法に基づく命令の規定に**違反する**と認めるときは、当該**届出**をし
た**事業者**に対し、その**届出**に係る**工事若しくは仕事の開始を差し止め**、
又は当該**計画を変更**すべきことを**命ずることができる**。

参考（勧告又は要請）
厚生労働大臣又は労働基準監督署長は、上記命令（法第88条第2項［大規模建設業の仕
事の届出］又は同条第3項［一定建設業等の仕事の届出］の規定による届出をした事業者
に対するものに限る。）をした場合において、必要があると認めるときは、当該命令に係
る仕事の発注者（当該仕事を自ら行う者を除く。）に対し、労働災害の防止に関する事項
について必要な勧告又は要請を行うことができる。

（法88条7項）

監督組織等

❶ 労働基準監督署長及び労働基準監督官
（法90条、法91条1項）重要度 B ★★

Ⅰ　**労働基準監督署長**及び**労働基準監督官**は、厚生労働省令で定めるところにより、労働安全衛生法の施行に関する**事務**をつかさどる。

Ⅱ　**労働基準監督官**は、労働安全衛生法を施行するため必要があると認めるときは、**事業場**に**立ち入り**、**関係者**に**質問**し、**帳簿**、**書類その他の物件**を**検査**し、若しくは**作業環境測定**を行い、又は**検査**に必要な限度において**無償**で**製品**、**原材料**若しくは**器具**を**収去すること**が**できる**。

Check Point!

□　労働基準監督官は、労働安全衛生法の規定に違反する罪について、刑事訴訟法の規定による司法警察員の職務を行なう。　　　　（法92条）

❷ 産業安全専門官及び労働衛生専門官
（法93条1項〜3項）重要度 B ★★

Ⅰ　**厚生労働省**、**都道府県労働局**及び**労働基準監督署**に、**産業安全専門官**及び**労働衛生専門官**を置く。

Ⅱ　**産業安全専門官**は、第37条第1項の許可［特定機械等の製造の許可］、**特別安全衛生改善計画**、**安全衛生改善計画**及び**届出に関する事務**並びに**労働災害の原因の調査**その他特に**専門的知識**を必要とする事務で、**安全**に係るものをつかさどるほか、**事業者**、**労働者その他の関係者**に対し、**労働者の危険を防止**するため必要な事項について**指導及び援助**を行う。

Ⅲ　**労働衛生専門官**は、第56条第１項の許可［製造許可物質の製造の許可］、第57条の４第４項の規定による勧告［新規化学物質の有害性の調査の結果を届け出た事業者に対する勧告］、第57条の５第１項の規定による指示［有害性の調査等の指示］、第65条の規定による**作業環境測定**についての**専門技術的**事項、**特別安全衛生改善計画、安全衛生改善計画**及び**届出**に関する**事務**並びに**労働災害の原因の調査**その他特に**専門的知識**を必要とする事務で、衛生に係るものをつかさどるほか、**事業者、労働者その他の関係者**に対し、**労働者**の健康障害を防止するため**必要な事項**及び**労働者**の健康の保持増進を図るため**必要な事項**について指導**及び援助**を行う。

> **参考**（産業安全専門官及び労働衛生専門官の権限）
> 産業安全専門官又は労働衛生専門官は、上記ⅡⅢの事務を行うため必要があると認めるときは、事業場に立ち入り、関係者に質問し、帳簿、書類その他の物件を検査し、若しくは作業環境測定を行い、又は検査に必要な限度において無償で製品、原材料若しくは器具を収去することができる。
> (法94条１項)
>
> （機構による労働災害の原因の調査等の実施）
> ⑴厚生労働大臣は、上記Ⅲの規定による労働災害の原因の調査が行われる場合において、当該労働災害の規模その他の状況から判断して必要があると認めるときは、独立行政法人労働者健康安全機構（以下「機構」という。）に、当該調査を行わせることができる。
> ⑵厚生労働大臣は、必要があると認めるときは、機構に、**参考**「産業安全専門官及び労働衛生専門官の権限」の規定による立入検査（⑴に規定する調査に係るものに限る。）を行わせることができる。
> (法96条の2,1項、２項)

❸ 労働衛生指導医（法95条1項〜3項）　**B** ★★

Ⅰ　**都道府県労働局**に、**労働衛生指導医**を置く。

Ⅱ　**労働衛生指導医**は、第65条第５項又は第66条第４項の規定による指示［都道府県労働局長による作業環境測定の実施等又は臨時の健康診断の実施等の指示］に関する事務その他**労働者の衛生**に関する**事務**に参画する。

Ⅲ　**労働衛生指導医**は、**労働衛生**に関し**学識経験を有する医師**のうちから、**厚生労働大臣**が**任命**する。

第6章

Check Point!

□　労働衛生指導医は、都道府県労働局に置かれる非常勤の国家公務員であり、その任期は２年である。　(法95条1項、4項、則95条の2,1項)

❹ 厚生労働大臣等の権限 (法96条1項〜4項) 重要度 B

★★

Ⅰ　**厚生労働大臣**は、**型式検定**に合格した**型式の機械等の構造**並びに当該機械等を**製造**し、及び**検査**する**設備**等に関し**労働者の安全と健康を確保する**ため**必要**があると認めるときは、その**職員**をして当該**型式検定**を受けた者の**事業場**又は当該**型式検定**に係る**機械等**若しくは**設備等の所在**すると認める場所に**立ち入り**、関係者に**質問**させ、又は当該**機械等**若しくは**設備等その他の物件**を**検査**させることができる。

Ⅱ　**厚生労働大臣**は、**コンサルタントの業務の適正な運営を確保する**ため**必要**があると認めるときは、その**職員**をして**コンサルタント**の**事務所**に**立ち入り**、関係者に**質問**させ、又はその**業務に関係のある帳簿**若しくは**書類**（その作成、備付け又は保存に代えて電磁的記録の作成、備付け又は保存がされている場合における当該電磁的記録を含む。）を**検査**させることができる。

Ⅲ　**厚生労働大臣**又は**都道府県労働局長**は、**登録製造時等検査機関**等の**業務の適正な運営を確保する**ため**必要**があると認めるときは、その**職員**をしてこれらの**事務所**に**立ち入り**、関係者に**質問**させ、又はその**業務に関係のある帳簿、書類その他の物件**を**検査**させることができる。

Ⅳ　**都道府県労働局長**は、**労働衛生指導医**を第95条第２項の規定による**事務**に**参画**させるため必要があると認めるときは、当該**労働衛生指導医**をして**事業場**に**立ち入り**、関係者に**質問**させ、又は**作業環境測定**若しくは**健康診断の結果の記録その他の物件**を**検査**させることができる。

参考 上記Ⅲの登録製造時等検査機関等とは、登録製造時等検査機関、登録性能検査機関、登録個別検定機関、登録型式検定機関、検査業者、指定試験機関、登録教習機関、指定コンサルタント試験機関又は指定登録機関をいう。

(法96条3項)

❺ 労働者の申告 (法97条) 重要度 **B** ★★

> Ⅰ　**労働者**は、**事業場**に労働安全衛生法又は同法に基づく命令の規定に**違反する事実**があるときは、**その事実を都道府県労働局長、労働基準監督署長又は労働基準監督官に申告**して**是正**のため**適当な措置をとるように**求めることができる。
>
> Ⅱ　**事業者**は、Ⅰの**申告**をしたことを理由として、**労働者**に対し、解雇その他**不利益な取扱い**をしてはならない。

❻ 使用停止命令 重要度 **B**

1 基準違反の場合の使用停止命令 (法98条1項〜3項) ★★

> Ⅰ　**都道府県労働局長又は労働基準監督署長**は、次のⅰからⅳの規定に**違反する事実**があるときは、その**違反**した**事業者、注文者、機械等貸与者又は建築物貸与者**に対し、**作業の全部又は一部の停止、建設物等の全部又は一部の使用**の停止又は変更その他**労働災害を防止**するため**必要な事項を命ずる**ことができる。
>
> 　ⅰ　第20条から第25条〔**事業者の講ずべき措置**〕
>
> 　ⅱ　第25条の2第1項、第30条の3第1項又は第4項〔**重大事故発生時の安全確保措置**〕
>
> 　ⅲ　第31条第1項、第31条の2〔**注文者の講ずべき措置**〕
>
> 　ⅳ　第33条第1項、第34条〔**機械等貸与者及び建築物貸与者の講ずべき措置**〕
>
> Ⅱ　**都道府県労働局長又は労働基準監督署長**は、Ⅰの規定により命じた事項について**必要な事項**を**労働者、請負人又は建築物の貸与を受けている者に命ずる**ことができる。
>
> Ⅲ　**労働基準監督官**は、ⅠⅡの場合において、**労働者に急迫した危険**があるときは、ⅠⅡの都道府県労働局長又は**労働基準監督署長の権**

限を即時に行うことができる。

> **参考** 都道府県労働局長又は労働基準監督署長は、請負契約によって行われる仕事について上記Ⅰの規定による命令をした場合において、必要があると認めるときは、当該仕事の注文者に対し、当該違反する事実に関して、労働災害を防止するため必要な事項について勧告又は要請を行うことができる。
> （法98条4項）

2 基準違反でない場合の使用停止命令（法99条） ★★

> Ⅰ　都道府県労働局長又は労働基準監督署長は、第98条第1項の使用停止命令の場合以外の場合において、**労働災害発生の急迫した危険**があり、かつ、**緊急の必要**があるときは、**必要な限度**において、**事業者**に対し、**作業の全部又は一部の一時停止**、**建設物等の全部又は一部の使用の一時停止**その他当該**労働災害を防止**するため**必要な応急の措置を講ずることを命ずることができる。**
>
> Ⅱ　都道府県労働局長又は労働基準監督署長は、Ⅰの規定により命じた事項について**必要な事項**を**労働者**に**命ずることができる。**

> **参考** 本条の「労働災害」には、事業附属寄宿舎における労働災害も含まれる。
> （昭和47.9.18基発602号）

❼ 講習の受講の指示 重要度 **B**

1 労働災害防止業務従事者に対する講習（法99条の2,1項、2項） ★★

> Ⅰ　都道府県労働局長は、**労働災害が発生**した場合において、その**再発を防止**するため**必要がある**と認めるときは、当該**労働災害に係る事業者**に対し、**期間を定めて**、当該**労働災害が発生した事業場の総括安全衛生管理者、安全管理者、衛生管理者、統括安全衛生責任者**その他労働災害の防止のための業務に従事する者（**労働災害防止業務従事者**）に都道府県労働局長の**指定**する者が行う講習を受けさせるよう**指示することができる。**
>
> Ⅱ　Ⅰの規定による**指示**を受けた**事業者**は、**労働災害防止業務従事者**

に当該講習を受けさせなければならない。

2 就業制限業務従事者に対する講習 （法99条の3,1項） ★

　都道府県労働局長は、第61条第1項［**就業制限**］の規定により同項に規定する**業務**に就くことができる者が、当該業務について、労働安全衛生法又は同法に基づく命令の規定に**違反**して**労働災害を発生**させた場合において、その**再発を防止**するため**必要があると認めるとき**は、その者に対し、**期間を定めて、都道府県労働局長の指定**する者が行う講習を受けるよう**指示することができる**。

趣旨

　本条は、法第61条の規定により免許を有し又は技能講習を修了する等一定の資格を有する者以外の者の就業を制限している業務について、その資格に基づき従事している者（就業制限業務従事者）についても、労働災害を発生させたときは、再発防止のための講習の受講を指示できることとしたものである。

❽ 報告等 重要度 B

1 報告等の命令 （法100条） ★★

Ⅰ　**厚生労働大臣、都道府県労働局長又は労働基準監督署長**は、労働安全衛生法を施行するため**必要があると認めるとき**は、**事業者、労働者、機械等貸与者、建築物貸与者**又は**コンサルタント**に対し、**必要な事項を報告**させ、又は**出頭を命ずることができる**。

Ⅱ　**厚生労働大臣、都道府県労働局長又は労働基準監督署長**は、労働安全衛生法を施行するため**必要**があると認めるときは、**登録製造時等検査機関等**に対し、**必要な事項を報告**させることができる。

Ⅲ　**労働基準監督官**は、労働安全衛生法を施行するため**必要**があると認めるときは、**事業者又は労働者**に対し、**必要な事項を報告**させ、

又は**出頭**を**命ずることができる。**

② 有害物ばく露作業報告（則95条の6） ★★

　事業者は、**労働者**に健康障害を生ずるおそれのある物で**厚生労働大臣**が定めるものを**製造**し、又は**取り扱う作業場**において、**労働者**を当該物の**ガス**、**蒸気又は粉じんにばく露するおそれのある作業**に従事させたときは、**厚生労働大臣**の定めるところにより、当該物の**ばく露の防止**に関し必要な事項について、所定の様式による**報告書**を所轄労働基準監督署長に**提出しなければならない。**

③ 労働者死傷病報告（則97条）🏷改正 ★★★

Ⅰ　**事業者**は、**労働者**が**労働災害**その他就業中又は**事業場内**若しくはその**附属建設物内**における**負傷、窒息又は急性中毒**により**死亡**し、又は**休業の日数が4日以上の休業**をしたときは、遅滞なく、**電子情報処理組織**を使用して、労働安全衛生規則第97条第1項各号に定める事項を所轄労働基準監督署長に**報告**しなければならない。

H29-8B　R3-10E　R6-選E

Ⅱ　**休業の日数が4日に満たない**ときは、**事業者**は、1月から3月まで、4月から6月まで、7月から9月まで及び10月から12月までの**期間**における当該**事実**について、**それぞれの期間**における**最後の月の翌月末日**までに、**電子情報処理組織**を使用して、労働安全衛生規則第97条第1項各号に定める事項（第9号を除く）及び休業日数を所轄労働基準監督署長に**報告**しなければならない。

概要

労働者死傷病報告についてまとめると、次の通りとなる。

死亡および 休業4日以上	遅滞なく	
休業4日未満	1月から3月までに発生した事故	4月30日まで
	4月から6月までに発生した事故	7月31日まで
	7月から9月までに発生した事故	10月31日まで
	10月から12月までに発生した事故	1月31日まで

Check Point!

□ 派遣労働者に係る死傷病報告は、派遣元及び派遣先双方の事業者が行わなければならない。

(労働者派遣法45条15項)

・**派遣労働者が労働災害に被災した場合**

派遣先事業者は、労働安全衛生規則第97条第1項［労働者死傷病報告］の規定により派遣中の労働者に係る同項各号に掲げる事項を**所轄労働基準監督署長**に**報告**したときは、**遅滞なく**、その内容を当該派遣中の労働者を雇用する**派遣元事業者**に**報告**しなければならない。

(則97条1項、労働者派遣法45条15項、同則42条)

4 事故報告 (則96条) ★★

事業者は、**労働災害（死傷者）が発生していない場合**であっても、労働安全衛生規則第96条に定める事故（火災、爆発、建設物の倒壊、ボイラーの破裂、つり上げ荷重が**0.5トン以上**のクレーンの倒壊、ワイヤロープの切断等）が発生したときは、**遅滞なく「事故報告書（様式22号）」**を**所轄労働基準監督署長**に**提出**しなければならない。

参考 (労働者死傷病報告の報告事項) 改正

労働者死傷病報告の報告事項は次の通りである。
(1)労働保険番号（建設工事の作業に従事する請負人の労働者が労働災害等により死亡し、又は休業した場合は元方事業者の労働保険番号）
(2)事業の種類並びに事業場の名称、所在地及び電話番号
(3)常時使用する労働者の数
(4)建設工事の作業に従事する労働者が労働災害等により死亡し、又は休業した場合は当該工事の名称
(5)事業場の構内において作業に従事する請負人の労働者が労働災害等により死亡し、又は休業した場合は当該事業場の名称
(6)建設工事の作業に従事する請負人の労働者が労働災害等により死亡し、又は休業した場

合は元方事業者の事業場の名称

(7)派遣労働者が労働災害等により死亡し、又は休業した場合は、当該報告を行う事業者が当該派遣労働者に係る派遣先又は派遣元事業主のいずれに該当するかの別並びに当該派遣先の事業場の名称及び郵便番号

(8)労働災害等により死亡し、又は休業した労働者の氏名、生年月日及び年齢、性別、職種、当該職種における経験期間並びに傷病の名称及び部位

(9)休業見込期間又は死亡日時

(10)労働災害等により死亡し、又は休業した労働者が外国人（出入国管理及び難民認定法の外交又は公用の在留資格をもって在留する者及び日本国との平和条約に基づき日本の国籍を離脱した者等の出入国管理に関する特例法に定める特別永住者を除く。）である場合はその国籍又は地域の名称及び在留資格の区分

(11)労働災害等の発生日時、発生場所の所在地、発生状況及びその略図並びに原因

(12)報告年月日並びに事業者及び報告者の職氏名

（則97条1項）

（疾病の報告）

1. 事業者は、化学物質又は化学物質を含有する製剤を製造し、又は取り扱う業務を行う事業場において、1年以内に2人以上の労働者が同種のがんに罹患したことを把握したときは、当該罹患が業務に起因するかどうかについて、遅滞なく、医師の意見を聴かなければならない。

2. 事業者は、1.の医師が、1.の罹患が業務に起因するものと疑われると判断したときは、遅滞なく、次に掲げる事項について、所轄都道府県労働局長に報告しなければならない。

(1)がんに罹患した労働者が当該事業場で従事した業務において製造し、又は取り扱った化学物質の名称（化学物質を含有する製剤にあっては、当該製剤が含有する化学物質の名称）

(2)がんに罹患した労働者が当該事業場において従事していた業務の内容及び当該業務に従事していた期間

(3)がんに罹患した労働者の年齢及び性別

（則97条の2）

雑則等

❶ 雑則 重要度 **B**

1 法令等の周知 （法101条1項） ★★

事業者は、**労働安全衛生法**及び同法に基づく**命令の要旨**を**常時各作業場**の**見やすい場所**に**掲示**し、又は**備え付ける**ことその他の厚生労働省令で定める方法により、**労働者に周知させなければならない。** R3-10A

【周知の方法（則98条の2,1項）】

次のいずれかの方法により**労働者に周知**させなければならない。

(1) 常時各作業場の見やすい場所に**掲示**し、又は**備え付ける**こと。

(2) **書面を労働者に交付**すること。

(3) 事業者の使用に係る電子計算機に備えられたファイル又は電磁的記録媒体をもって調製するファイルに記録し、かつ、各作業場に労働者が当該記録の内容を常時確認できる機器を設置すること。

参考 本条の「作業場」とは、事業場内において密接な関連のもとに作業が行われている個々の現場をいい、主として建物別等によって判定すべきものとされている。

2 ガス工作物等設置者の義務 （法102条、令25条） ★★

ガス工作物、**電気工作物**、**熱供給施設**又は**石油パイプライン**を設けている者は、当該**工作物**の所在する場所又はその附近で工事その他の仕事を行なう**事業者**から、当該**工作物**による**労働災害の発生**を**防止**するためにとるべき措置についての**教示**を求められたときは、これを**教示しなければならない。**

3 心身の状態に関する情報の取扱い（法104条）

Ⅰ　**事業者**は、労働安全衛生法又は同法に基づく命令の規定による措置の実施に関し、**労働者**の心身の状態に関する**情報**を収集し、**保管**し、又は**使用**するに当たっては、**労働者**の健康の確保に必要な範囲内で**労働者の心身の状態に関する情報**を収集し、並びに当該**収集の目的の範囲内**でこれを**保管**し、及び**使用**しなければならない。ただし、**本人の同意**がある場合その他正当な事由がある場合は、この限りでない。

Ⅱ　**事業者**は、**労働者の心身の状態に関する情報を適正に管理**するために必要な措置を講じなければならない。

Ⅲ　**厚生労働大臣**は、ⅠⅡの規定により**事業者**が講ずべき措置の**適切かつ有効な実施**を図るため**必要な指針**を**公表**するものとする。

Ⅳ　**厚生労働大臣**は、Ⅲの指針を公表した場合において必要があると認めるときは、**事業者**又は**その団体**に対し、当該**指針**に関し必要な**指導**等を行うことができる。

4 国の援助（法106条）

Ⅰ　国は、**労働災害の防止**に資するため、**事業者**が行う**安全衛生施設の整備**、**特別安全衛生改善計画**又は**安全衛生改善計画の実施**その他の活動について、**金融上の措置**、**技術上の助言**その他**必要な援助**を行うように**努めるものとする**。

Ⅱ　国は、Ⅰの**援助**を行うに当たっては、**中小企業者**に対し、**特別の配慮をするものとする**。

参考 （厚生労働大臣の援助）
厚生労働大臣は、安全管理者、衛生管理者、安全衛生推進者、衛生推進者、産業医、コンサルタントその他労働災害の防止のための業務に従事する者の資質の向上を図り、及び労働者の労働災害防止の思想を高めるため、資料の提供その他必要な援助を行うように努めるものとする。
（法107条）

（研究開発の推進等）
政府は、労働災害の防止に資する科学技術の振興を図るため、研究開発の推進及びその成果の普及その他必要な措置を講ずるように努めるものとする。
（法108条）

5 疫学的調査等 (法108条の2)

Ⅰ 厚生労働大臣は、**労働者がさらされる化学物質**等又は**労働者の従事する作業**と**労働者の疾病**との**相関関係**をは握するため**必要がある**と認めるときは、**疫学的調査その他の調査**(以下「**疫学的調査等**」という。)を行うことができる。

Ⅱ 厚生労働大臣は、**疫学的調査等**の実施に関する**事務の全部又は一部**を、**疫学的調査等**について**専門的知識を有する者に委託すること**ができる。

Ⅲ 厚生労働大臣又はⅡの規定による**委託を受けた者**は、**疫学的調査等の実施**に関し**必要がある**と認めるときは、**事業者、労働者**その他の**関係者**に対し、**質問**し、又は**必要な報告**若しくは**書類の提出**を**求めることができる。**

Ⅳ Ⅱの規定により**厚生労働大臣が委託**した**疫学的調査等の実施の事務に従事**した者は、その**実施**に関して**知り得た秘密を漏らしてはならない。**ただし、**労働者の健康障害を防止**するため**やむを得ない**ときは、この限りでない。

参考 「疫学的調査」とは、一定の集団における特定の疫病の分布を多角的〔人間の因子(性・年齢・職業等)、場所(地理的)、時間(年、月)等〕に観察し、その結果を基として、なぜそのような分布をするかという理由(主としてその疫病の成立の原因)を統計学的に解析して考究するための調査をいう。

(昭和53.2.10基発77号)

② 不服申立て (法111条) 重要度 B

Ⅰ 第38条 [**製造時等検査**] の**検査、性能検査、個別検定**又は**型式検定**の**結果**についての**処分**については、**審査請求**をすることが**できない。**

Ⅱ **指定試験機関**が行う**試験事務**に係る**処分**若しくはその**不作為**、**指定コンサルタント試験機関**が行う**コンサルタント試験事務**に係る**処分**若しくはその**不作為**又は**指定登録機関**が行う**登録事務**に係る**処分**若しくはその**不作為**については、**厚生労働大臣**に対し、**審査請求**をすることができる。この場合において、厚生労働大臣は、行政不服

審査法第25条第2項及び第3項、第46条第1項及び第2項、第47条並びに第49条第3項の規定の適用については、指定試験機関、指定コンサルタント試験機関又は指定登録機関の上級行政庁とみなす。

趣旨

　上記Ⅰは、検査や検定などの結果に基づいてなす適否の処分についてはその結果を導き出す過程で相当高度な専門的、技術的な実測、試験などを行い、その結果に基づいてなす客観的な判定であり、仮に不服審査を認めても結局は同じ結果になることが予想されるので、明文の規定をもって行政不服審査の適用を排除することとしたものである。

　上記Ⅱは、指定試験機関が行う試験事務に係る処分等についてはその事案の重要性にかんがみ行政不服審査制度を適用することとしたものである。

❸ 罰則 重要度 B

1 製造禁止等違反に対する罰則（法116条） ★★

　第55条［製造等の禁止］の規定に**違反**した者は、**3年以下の懲役**又は**300万円以下の罰金**に処する※。

　※　黄りんマッチ、ベンジジン等を製造等した者には、この罰則が適用されることになる。

参考（特定機関の役員又は職員に対する罰則）
(1)製造時等検査、性能検査、個別検定又は型式検定の業務（以下「特定業務」という。）に従事する登録製造時等検査機関、登録性能検査機関、登録個別検定機関又は登録型式検定機関（以下「特定機関」という。）の役員又は職員が、その職務に関して、賄賂を収受し、要求し、又は約束したときは、5年以下の懲役に処する。これによって不正の行為をし、又は相当の行為をしなかったときは、7年以下の懲役に処する。
(2)特定業務に従事する特定機関の役員又は職員になろうとする者が、就任後担当すべき職務に関し、請託を受けて賄賂を収受し、要求し、又は約束したときは、役員又は職員になった場合において、5年以下の懲役に処する。
(3)特定業務に従事する特定機関の役員又は職員であった者が、その在職中に請託を受けて、職務上不正の行為をしたこと又は相当の行為をしなかったことに関して、賄賂を収受し、要求し、又は約束したときは、5年以下の懲役に処する。
(4)(1)から(3)の場合において、犯人が収受した賄賂は、没収する。その全部又は一部を没収することができないときは、その価額を追徴する。　　　　　　　　（法115条の3）

（特定機関の役員又は職員に賄賂を供与した者に対する罰則）
第115条の3第1項から第3項（上記(1)から(3)）の賄賂を供与し、又はその申込み若しくは約束をした者は、3年以下の懲役又は250万円以下の罰金に処する。　　（法115条の4,1項）

2 その他の罰則

1以外の罰則としては次のようなものが設けられている。

1. 製造許可、検定等違反の場合

この場合は、1年以下の懲役又は100万円以下の罰金に処せられる。

【例】 製造許可を受けずに特定機械等や有害物を製造した場合、個別検定や型式検定を受けなかった場合等がこれに該当する。

(法117条)

参考 (登録製造時等検査機関等の役員等の業務停止命令違反に対する罰則)
登録製造時等検査機関等の役員又は職員が業務停止命令に違反した場合も、その役員又は職員が1年以下の懲役又は100万円以下の罰金に処せられる。

(法118条)

2. 事業者の講ずべき措置規定違反等の場合

この場合は、6月以下の懲役又は50万円以下の罰金に処せられる。

【例】 作業主任者を選任しなかった場合、危険の防止・健康障害の防止等の措置を講じなかった場合、特定機械等の製造時等検査を受けなかった場合、検査証を受けていない特定機械等を使用した場合、構造規格等を具備しない機械等を譲渡等した場合、無資格者を就業制限業務に就かせた場合等がこれに該当する。 R2-9E

(法119条)

3. 安全衛生管理体制規定違反等の場合

この場合は、50万円以下の罰金に処せられる。

【例】 総括安全衛生管理者、安全管理者、衛生管理者等を選任しなかった場合、安全（衛生）委員会を設けなかった場合、検定に合格しない機械等に合格した旨の表示をした場合、定期自主検査をしなかった場合、有害性の調査を行わなかった場合、無資格者が就業制限業務を行った場合、所定の健康診断を実施せず又はその結果を記録せず又はその結果を労働者に通知しなかった場合、研究開発業務従事者に対する面接指導又は高度プロフェッショナル制度対象労働者に対する面接指導を実施しなかった場合、所定の期日までに計画の届出を行わなかった場合、報告命令に従わなかった場合等がこれに該当する。

(法120条)

第6章

③ **両罰規定**（法122条） ★★★

> 　**法人の代表者**又は**法人**若しくは**人**の**代理人、使用人**その他の**従業者**が、その**法人**又は**人**の業務に関して、第116条、第117条、第119条又は第120条［罰則］の**違反行為**をしたときは、**行為者**を**罰する**ほか、その**法人**又は**人**に対しても、各本条の**罰金刑を科する**。 H29-8A R2-9E

趣旨

　法人の代表者又は法人若しくは人の代理人、使用人その他の従業者が、その法人又は人の業務に関して法第116条、法第117条、法第119条又は法第120条［罰則］に規定されている違反行為をしたときは、行為者を懲役刑又は罰金刑によって罰することに加えて、その法人又は人に対しても、所定の罰金刑を科すこととしたものである。

参考（免責等）
労働安全衛生法第122条［両罰規定］と労働基準法第121条［両罰規定］※の規定を対比すると、労働基準法第121条第1項ただし書及び同条第2項の規定が欠けている。労働基準法第121条第1項ただし書の規定の例は、最近の両罰規定の立法形式では規定されていないが、違反防止義務が尽くされていれば当然に免責される（両罰に関する過失推定説）ものと解されている。また労働基準法第121条第2項の規定に関する部分は、労働安全衛生法においては事業者が義務主体とされたことに伴い規定されなかったものであり、法人の代表者が不作為犯を犯すならば行為者として処罰されることになる。

(昭和47.11.15基発725号)

> ※　労働基準法第121条［両罰規定］
> 　1．労働基準法の違反行為をした者が、当該事業の労働者に関する事項について、事業主のために行為した代理人、使用人その他の従業者である場合においては、事業主に対しても各本条の罰金刑を科する。ただし、事業主〔事業主が法人である場合においてはその代表者、事業主が営業に関し成年者と同一の行為能力を有しない未成年者又は成年被後見人である場合においてはその法定代理人（法定代理人が法人であるときは、その代表者）を事業主とする。2．において同じ。〕が違反の防止に必要な措置をした場合においては、この限りでない。
> 　2．事業主が違反の計画を知りその防止に必要な措置を講じなかった場合、違反行為を知り、その是正に必要な措置を講じなかった場合又は違反を教唆した場合においては、事業主も行為者として罰する。

資料 編

　本書本編の記載内容に関連する発展資料を集めました。本試験で出題された箇所も含まれていますが、かなり細かい論点であるため、まずは本書本編のマスターを優先しましょう。その後さらに知識を深めたい場合に、本資料をご利用ください。

第1章 総 則

1 労働安全衛生法に基づく規則

労働安全衛生法に基づいて、次のような規則が制定、施行されている（括弧内は略称）。R5-9A〜E

(1) 労働安全衛生規則（安衛則）
(2) ボイラー及び圧力容器安全規則（ボイラー則）
(3) クレーン等安全規則（クレーン則）
(4) ゴンドラ安全規則（ゴンドラ則）
(5) 有機溶剤中毒予防規則（有機則）
(6) 鉛中毒予防規則（鉛則）
(7) 四アルキル鉛中毒予防規則（四アルキル則）
(8) 特定化学物質障害予防規則（特化則）
(9) 高気圧作業安全衛生規則（高圧則）
(10) 電離放射線障害防止規則（電離則）
(11) 酸素欠乏症等防止規則（酸欠則）
(12) 事務所衛生基準規則（事務所則）
(13) 粉じん障害防止規則（粉じん則）
(14) 石綿障害予防規則（石綿則）
(15) 労働安全衛生法及びこれに基づく命令に係る登録及び指定に関する省令（登録指定省令）
(16) 機械等検定規則（機械検定則）
(17) 労働安全コンサルタント及び労働衛生コンサルタント規則（コンサルタント則）

第2章 安全衛生管理体制

1 総括安全衛生管理者・鉱山に関する特例

鉱山保安法の規定による鉱山で、常時100人以上の労働者を使用する場合は、総括安全衛生管理者の設置に代えて、総括衛生管理者を選任する（当該者は、衛生面のみを担当することになる）。これは、鉱山の保安に関しては、総括安全衛生管理者に相当する者として、保安統括者が置かれているためである。 （法114条2項）

2 安全管理者・特殊化学設備を設置する事業場

特殊化学設備〔化学設備のうち、発熱反応が行われる反応器等異常化学反応又はこれに類する異常な事態により爆発、火災等を生ずるおそれのあるもの（配管を除く。）〕を設置する事業場であって、所轄都道府県労働局長が指定するものにあっては、当該都道府県労働局長が指定する生産施設の単位について、操業中、常時、安全に係る技術的事項を管理するのに必要な数の安全管理者を選任しなければならない。 （則4条1項3号）

3 産業安全の実務

「産業安全の実務」とは、必ずしも安全関係専門の業務に限定する趣旨ではなく、生産ラインにおける管理業務を含めて差し支えない。 （昭和47.9.18基発601号の1）

4 専任の安全管理者

「専任の安全管理者」とは、所定の資格（安衛則第5条）を有する者のうちから選任された安全管理者で、通常の勤務時間を専ら安全管理者として安衛法第11条第1項に規定されている事項を管理するために費やす者をいい、例えば生産関係等の業務を兼任する者はこれに該当しないが、業務の一部に労働衛生の業務が含まれている場合は、安全管理と密接な関係があるので、このような場合に限って、かかる関連業務を行うことを妨げるものではない。 （昭和27.9.20基発675号）

5 危険防止措置

1．原動機、回転軸等による危険防止

事業者は、機械の原動機、回転軸、歯車、プーリー、ベルト等の労働者に危険を及ぼすおそれのある部分には、覆い、囲い、スリーブ、踏切橋等を設けなければならない。 H27-8B (則101条1項)

2．墜落等による危険防止

(1) 事業者は、高さが**2メートル**以上の箇所（作業床の端、開口部等を除く。）で作業を行う場合において墜落により労働者に危険を及ぼすおそれのあるときは、足場を組み立てる等の方法により作業床を設けなければならない。 R3-選E

(2) 事業者は、高さが2メートル以上の作業床の端、開口部等で墜落により労働者に危険を及ぼすおそれのある箇所には、囲い、手すり、覆い等（以下「囲い等」という。）を設けなければならない。 H27-8A

(3) 事業者は、(2)の規定により、囲い等を設けることが著しく困難なとき又は作業の必要上臨時に囲い等を取りはずすときは、防網を張り、労働者に墜落による危険のおそれに応じた性能を有する墜落制止用器具（「要求性能墜落制止用器具」という。）を使用させる等墜落による労働者の危険を防止するための措置を講じなければならない。 H27-8A

(則518条1項、則519条)

3．積卸し

事業者は、一の荷でその重量が100キログラム以上のものを貨物自動車に積む作業（ロープ掛けの作業及びシート掛けの作業を含む。）又は貨物自動車から卸す作業（ロープ解きの作業及びシート外しの作業を含む。）を行うときは、当該作業を指揮する者を定め、その者に、作業手順及び作業手順ごとの作業の方法を決定し作業を直接指揮することなど所定の事項を行わせな

ければならない。 H27-8E (則151条の70,1号)

6 健康保持等の措置

法第23条の規定に基づき、例えば次のような規定が設けられている。

(1) 照度

事業者は、労働者を常時就業させる場所の作業面の照度を、次表の左欄に掲げる作業の区分に応じて、右欄に掲げる基準に適合させなければならない。ただし、感光材料を取り扱う作業場、坑内の作業場その他特殊な作業を行なう作業場については、この限りでない。 (則604条)

作業の区分	基　準
精密な作業	300ルクス以上
普通の作業	150ルクス以上
粗な作業	70ルクス以上

なお、作業場のうち事務所の室（感光材料の取扱い等特殊な作業を行う室を除く。）の作業面の照度基準は、一般的な事務作業は300ルクス以上、付随的な事務作業は150ルクス以上となっている（令和4年12月1日施行）。 H27-8D (事務所則10条1項)

(2) 照明設備の点検

事業者は、労働者を常時就業させる場所の照明設備について、6月以内ごとに1回、定期に、点検しなければならない。

(則605条2項)

7 重大事故発生時の安全確保措置

法第25条の2第2項の規定による**救護に関する技術的事項を管理する者**の選任は、救護に関し必要な機械等を備え付ける時までに、その事業場に**専属の者**を選任しなければならない。 (則24条の7,1項)

8 労働者の遵守義務

労働者は、事業者が第20条から第25条まで及び第25条の2第1項の規定に基づき講ずる措置に応じて、必要な事項を**守らなけ**

ればならない。当該規定に違反した者は、50万円以下の罰金に処せられる。 H28-9E

（法26条、法120条1号）

9 安全基準及び衛生基準

・厚生労働省令への委任

第20条から第25条まで及び第25条の2第1項の規定により事業者が講ずべき措置及び第26条［労働者の遵守義務］の規定により労働者が守らなければならない事項に係る厚生労働省令を定めるに当たっては、**公害**（環境基本法第2条第3項に規定する公害をいう。）その他**一般公衆の災害**で、**労働災害**と密接に関連するものの防止に関する法令の趣旨に反しないように**配慮しなければならない**。 H28-8A～E

（法27条）

第3章　機械等及び危険・有害物

1 特定機械等

機械等とは次の機械、器具その他の設備をいう。

(1) ボイラー

ボイラーとは、水などの液体を熱して、蒸気や温水を発生させ、それを他の設備等に供給する機械装置をいう。

(2) 圧力容器

圧力容器とは、ボイラーと違って、蒸気や温水を他に供給せず、内部で使用する機械装置をいう。

(3) クレーン

クレーンとは、荷を動力を用いてつり上げ、水平に運搬する機械装置をいう。また、スタッカー式のものとは、棚積み用として倉庫内等で使用されるものをいう。

(4) 移動式クレーン

移動式クレーンとは、原動機を内蔵し、不特定の場所に移動させることができるクレーンをいう。

(5) デリック

デリックとは、荷を動力を用いてつり上げるための機械装置で、マスト又はブームを有し、ワイヤロープにより操作されるものをいう。

(6) エレベーター

エレベーターとは、人及び荷をガイドレールに沿って昇降する搬器に乗せて、動力を用いて運搬する機械装置をいう。

(7) 建設用リフト

建設用リフトとは、荷のみを運搬するエレベーター（リフトという。）で、土木、建築等の工事の作業に使用されるものをいう。

(8) ゴンドラ

ゴンドラとは、高層建築物の清掃や塗装等の作業を行うために、つり足場の作業床が昇降する設備をいう。

（昭和47.9.18基発602号他）

2 製造許可

ボイラー（小型ボイラーを除く。）を製造しようとする者は、製造しようとするボイラーについて、あらかじめ、所轄都道府県労働局長の許可を受けなければならない。ただし、既に当該許可を受けているボイラーと型式が同一であるボイラー（許可型式ボイラー）については、この限りでない。　（ボイラー則2条の2カッコ書、3条1項）

3 許可基準等

厚生労働大臣の定める製造許可基準については、それぞれの特定機械等について厚生労働省告示に定められている。

なお、本条（法第37条）の許可は特定機械等の型式ごとに行われることになっており、既に許可を受けている特定機械等と型式が同一であるものを製造しようとする場合には、改めて製造許可を受ける必要はないこととされている。

4 製造時等検査（都道府県労働局長による製造時等検査の実施）

都道府県労働局長は、登録を受ける者がいないとき、第49条の規定による製造時等検査の業務の全部又は一部の休止又は廃止の届出があったとき、第53条第1項若しくは第2項の規定により登録を取り消し、又は登録製造時等検査機関に対し製造時等検査の業務の全部若しくは一部の停止を命じたとき、登録製造時等検査機関が天災その他の事由により製造時等検査の業務の全部又は一部を実施することが困難となったときその他必要があると認めるときは、当該製造時等検査の業務の全部又は一部を自ら行うことができる。　（法53条の2,1項）

5 有効期間の延長

検査証の有効期間のうち、移動式の特定機械等については、次のような延長が認められている。

(1) 製造時等検査を受けた後設置されていない移動式ボイラー、移動式第1種圧力容器又はゴンドラであって、その間の**保管状況が良好**であると**都道府県労働局長**が認めたものの有効期間については、製造時等検査の日から起算して**2年を超えず**、かつ、当該移動式ボイラー、移動式第1種圧力容器又はゴンドラを設置した日から起算して**1年を超えない**範囲内で延長することができる。

（ボイラー則37条2項、72条2項、
ゴンドラ則9条2項）

(2) 製造時等検査を受けた後設置されていない移動式クレーンであって、その間の保管状況が良好であると**都道府県労働局長**が認めたものの有効期間については、製造時等検査の日から起算して**3年を超えず**、かつ、当該移動式クレーンを設置した日から起算して**2年を超えない**範囲内で延長することができる。

（クレーン則60条2項）

6 製造許可物質の製造の許可

製造の許可は、許可対象物質ごとに、かつ、当該物質を製造するプラントごとに行われる〔例えば、事業場において、2種類の許可対象物質を製造する場合には、それぞれについて許可を受けなければならない。また、それらがそれぞれ2系列（プラント）で製造される場合は、それぞれの系列ごとに許可を受けなければならない〕。

（特化則48条）

第5章　健康の保持増進のための措置

1 受動喫煙の防止

1．事業者及び事業場の実情

労働者の受動喫煙を防止するための措置を講ずるに当たって考慮する「事業者及び事業場の実情」としては、例えば、以下のようなものがあること。この場合において、特に配慮すべき労働者がいる場合は、これらの者の受動喫煙を防止するため格別の配慮を行うこと。

・特に配慮すべき労働者の有無（例：妊娠している者、呼吸器・循環器に疾患をもつ者、未成年者）
・職場の空気環境の測定結果
・事業場の施設の状況（例：事業場の施設が賃借であること、消防法等他法令による施設上の制約）
・労働者及び顧客の受動喫煙防止対策の必要性に対する理解度
・労働者及び顧客の受動喫煙防止対策に関する意見・要望
・労働者及び顧客の喫煙状況

2. 事業者及び事業場の実情の分析及び労働者の受動喫煙を防止するための措置の決定について

　職場の受動喫煙防止対策については様々な意見があるため、各立場の者から適宜意見等を聴取し、当該聴取結果その他の事業者及び事業場の実情を踏まえつつ、例えば、衛生委員会又は安全衛生委員会（以下「衛生委員会等」という。）において検討し、講ずる措置を決定すること。なお、各事業場が効果的に受動喫煙防止対策に取り組むために参考となると考えられる事項を別途通知することとしているので、講ずる措置の決定の際は、事業者及び事業場の実情に応じ、当該通達も適宜参考とすること。

3.「適切な措置」について

　「適切な措置」とは、当該事業者及び事業場の実情を把握・分析した結果等を踏まえ、実施することが可能な労働者の受動喫煙の防止のための措置のうち、最も効果的なものであるが、当該措置には、施設・設備面（ハード面）の対策だけでなく、例えば以下のようなソフト面の対策も含まれる。

・受動喫煙防止対策の担当部署の指定
・受動喫煙防止対策の推進計画の策定
・受動喫煙防止に関する教育、指導の実施等
・受動喫煙防止対策に関する周知、掲示等

4. 衛生委員会等の付議事項について

　改正法の施行に伴い、法第18条第1項第2号の「労働者の健康の保持増進を図るための基本となるべき対策」及び規則第22条第8号の「労働者の健康の保持増進を図るため必要な措置」に職場の受動喫煙防止対策が含まれることとなること。

（平成27.5.15基発0515第1号）

1 自主的活動の促進のための指針

　厚生労働大臣は、事業場における安全衛生の水準の向上を図ることを目的として事業者が一連の過程を定めて行う次に掲げる自主的活動を促進するため必要な指針（労働安全衛生マネジメントシステムに関する指針）を公表することができる。

(1) 安全衛生に関する方針の表明
(2) 法第28条の2第1項又は第57条の3第1項及び第2項の危険性又は有害性等の調査及びその結果に基づき講ずる措置
(3) 安全衛生に関する目標の設定
(4) 安全衛生に関する計画の作成、実施、評価及び改善　　　　（則24条の2）

2 労働安全衛生マネジメントシステム（OSHMS）に関する指針の目的

　自主的活動の促進のための指針（労働安全衛生マネジメントシステムに関する指針）は、事業者が事業場においてシステムを確立しようとする際に必要とされる基本的事項を定め、事業者が労働者の協力の下に行う自主的な安全衛生活動を促進し、事業場における安全衛生の水準の向上に資することを目的としている。

（労働安全衛生マネジメントシステム）

　労働安全衛生マネジメントシステムとは、事業場における安全衛生水準の向上を図ることを目的として事業者が一連の過程を定めて労働安全衛生規則第24条の2【①自主的活動の促進のための指針】(1)～(4)に掲げる活動を自主的に行うもので、次のような特徴がある。

(1) トップの安全衛生方針に基づき事業実施に係る管理と一体になって運用される組織的な取組

(2) **計画（Plan）―実施（Do）―評価（Check）―改善（Act）のPDCA**サイクル構造

(3) 明文化・記録化により、安全衛生活動の確実で効果的な実施

(4) 危険性・有害性等の調査及びその結果に基づく対策の実施による本質安全化の推進

■労働安全衛生マネジメントシステムの流れ

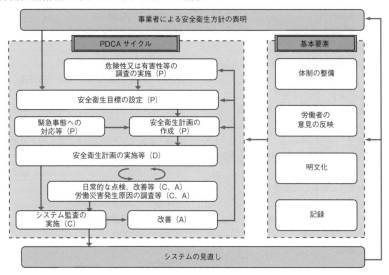

（平成18.3.17基発0317007号）

索　　引

た行

な行

は行

条 文 索 引

執　　筆：高橋比沙子（TAC専任講師、上級本科生担当）
編集補助：伊藤浩子（TAC教材開発講師）
　　　　　跡部大輔（TAC教材開発講師）

　本書は、令和6年9月13日現在において、公布され、かつ、令和7年本試験受験案内が発表されるまでに施行されることが確定されているものに基づいて執筆しております。
　なお、令和6年9月14日以降に法改正のあるもの、また法改正はなされているが施行規則等で未だ細目について定められていないものについては、下記ホームページにて順次公開いたします。

TAC出版書籍販売サイト「サイバーブックストア」
https://bookstore.tac-school.co.jp

2025年度版　よくわかる社労士　合格テキスト2 労働安全衛生法

（平成24年度版　2012年1月20日　初版　第1刷発行）
2024年10月11日　初　版　第1刷発行

編　著　者	Ｔ　Ａ　Ｃ　株　式　会　社	
	（社会保険労務士講座）	
発　行　者	多　　田　　敏　　男	
発　行　所	ＴＡＣ株式会社　出版事業部	
	（ＴＡＣ出版）	

〒101-8383 東京都千代田区神田三崎町3-2-18
電話　03（5276）9492（営業）
FAX　03（5276）9674
https://shuppan.tac-school.co.jp

印　　刷	株式会社　ワ　コ　ー	
製　　本	東京美術紙工協業組合	

© TAC 2024　　Printed in Japan

ISBN 978-4-300-11372-1
N.D.C. 364

社会保険労務士講座

2025年合格目標 開講コース

一般教育訓練給付制度 の指定コースがあります。
詳細は、TAC各校へお問い合わせください。

学習レベル・スタート時期にあわせて選べます！

初学者対象

順次開講中

まずは年金から着実に学習スタート！

総合本科生Basic（ベーシック）

初めて学ぶ方も無理なく合格レベルに到達できるコース。Basic講義で年金科目の基礎を理解した後は、労働基準法か〜効率的に基礎力&答案作成力を身につけます。

初学者対象

順次開講中

Basic講義つきのプレミアムコース！

総合本科生Basic+Plus（ベーシック／プラス）

大好評のプレミアムコース「総合本科生Plus」に、Basic講義ついたコースです。Basic講義から直前期のオプション講義 まで豊富な内容で合格へ導きます。

初学者・受験経験者対象

2024年9月より順次開講

基礎知識から答案作成力まで一貫指導！

総合本科生

長年の指導ノウハウを凝縮した、TAC社労士講座のスタンダー〜コースです。【基本講義 → 実力テスト → 本試験レベルの答練と、効率よく学習を進めていきます。

初学者・受験経験者対象

2024年9月より順次開講

充実度プラスのプレミアムコース！

総合本科生Plus（プラス）

「総合本科生」を更に充実させたプレミアムコースです。「総合本科生」のカリキュラムを詳細に補足する講義を加え、充実のオプション講義で万全な学習態勢です。

受験経験者対象

2024年10月より順次開講

今まで身につけた知識を更にレベルアップ！

上級本科生

受験経験者（学習経験者）専用に独自開発したコース。受験経験者専用のテキストを用いた講義と問題演習を繰り返すことによって、強固な基礎力に加え応用力を身につけていきます。

受験経験者対象

2024年11月より順次開講

インプット期から十分な演習量を実現！

上級演習本科生

コース専用に編集されたハイレベルな演習問題をインプット期から取り入れ、解説講義を行いながら知識を確認していくことで、受験経験者の得点力を更に引き上げていきます。

初学者・受験経験者対象

2024年10月開講

合格に必要な知識を効率よくWebで学習！

スマートWeb本科生（ウェブ）

「スマートWeb」ならではの効率良いスマートな学習が可能なコースです。テキストを持ち歩かなくても、隙間時間にスマホ一つで楽しく学習できます。

※上記コースは諸般の事情により、開講月が変更となる場合がございます。

詳細はTAC HPまたは2025年合格目標パンフレットにてご確認ください。

ライフスタイルに合わせて選べる3つの学習メディア

【通 学】 教室講座・ビデオブース講座 　　　【通 信】 Web通信講座

※「総合本科生」のみDVD通信講座もご用意しております。
※「スマートWeb本科生」はWeb通信講座のみの取り扱いとなります。

資格の学校 TAC

はじめる前に体験できる。だから安心！ 無料体験入学

実際の講義を無料で体験！ あなたの目で講義の質を実感してください。

申込み前に講座の第1回目の講義を無料で受講できます。講義内容や講師、雰囲気などを体験してください。
予約は不要です。開講日につきましては、TACホームページまたは講座パンフレットをご確認ください。
教室での生講義のほか、TAC各校舎のビデオブースでも体験できます。ビデオブースでの体験入学は事前の予約が必要です。詳細は
各校舎にお問合わせください。

https://www.tac-school.co.jp/ → 社会保険労務士へ

まずはこちらへお越しください 無料公開セミナー・講座説明会

予約不要・参加無料　知りたい情報が満載！
参加者だけのうれしい特典あり

参加者に
入会金免除券
プレゼント！

専任講師によるテーマ別セミナーや、カリキュラムについて詳しくご案内する講座説明会を実施していま
す。終了後は質問やご相談にお答えする「個別受講相談」を承っております。実施日程はTAC HPまたはパンフ
レットにてご案内しております。ぜひお気軽にご参加ください。

Web上でもセミナーが見られる！ TAC動画チャンネル

セミナー・体験講義の映像など
役立つ情報をすべて無料で視聴できます。

●テーマ別セミナー　●体験講義　等

https://www.tac-school.co.jp/ → TAC動画チャンネル へ

PCやスマホで快適に閲覧 デジタルパンフレット

紙と同じ内容のパンフレットをPCやスマートフォンで！
郵送も待たずに今すぐにご覧いただけます。

登録はこちらから

https://www.tac-school.co.jp/ → デジタルパンフ登録フォームに入力

コチラからもアクセス！▶▶

資料請求・お問い合わせはこちらから！

電話でのお問い合わせ・資料請求 〉 通話無料 **0120-509-117**
ゴウカク　イイナ
※携帯・自動車電話からもご利用いただけます。

【受付時間】
10:00～19:00（月曜～金曜）
10:00～17:00（土曜・日曜・祝日）
※営業時間は変更の場合がございます。詳しくはTAC HPにてご確認ください。

TACホームページからのご請求 〉 **https://www.tac-school.co.jp/**

TAC出版 書籍のご案内

TAC出版では、資格の学校TAC各講座の定評ある執筆陣による資格試験の参考書をはじめ、資格取得者の開業法や仕事術、実務書、ビジネス書、一般書などを発行しています！

TAC出版の書籍

*一部書籍は、早稲田経営出版のブランドにて刊行しております。

資格・検定試験の受験対策書籍

- ✪日商簿記検定
- ✪建設業経理士
- ✪全経簿記上級
- ✪税理士
- ✪公認会計士
- ✪社会保険労務士
- ✪中小企業診断士
- ✪証券アナリスト

- ✪ファイナンシャルプランナー(FP)
- ✪証券外務員
- ✪貸金業務取扱主任者
- ✪不動産鑑定士
- ✪宅地建物取引士
- ✪賃貸不動産経営管理士
- ✪マンション管理士
- ✪管理業務主任者

- ✪司法書士
- ✪行政書士
- ✪司法試験
- ✪弁理士
- ✪公務員試験(大卒程度・高卒者)
- ✪情報処理試験
- ✪介護福祉士
- ✪ケアマネジャー
- ✪電験三種　ほか

実務書・ビジネス書

- ✪会計実務、税法、税務、経理
- ✪総務、労務、人事
- ✪ビジネススキル、マナー、就職、自己啓発
- ✪資格取得者の開業法、仕事術、営業術

一般書・エンタメ書

- ✪ファッション
- ✪エッセイ、レシピ
- ✪スポーツ
- ✪旅行ガイド (おとな旅プレミアム/旅コン)

TAC出版では、独学用、およびスクール学習の副教材として、各種対策書籍を取り揃えています。学習の各段階に対応していますので、あなたのステップに応じて、合格に向けてご活用ください。

（刊行内容、発売月、表紙は変更になることがあります）

みんなが欲しかった！シリーズ

わかりやすさ、学習しやすさに徹底的にこだわった、TAC出版イチオシのシリーズ。大人気の『社労士の教科書』をはじめ、合格に必要な書籍を網羅的に取り揃えています。

基礎学習

『みんなが欲しかった！
社労士合格へのはじめの一歩』
A5判、8月　貫場 恵子 著
- 初学者のための超入門テキスト！
- 概要をしっかりつかむことができる入門講義で、学習効率ぐーんとアップ！
- フルカラーの巻頭漫画とスタートアップ講座は必見！

『みんなが欲しかった！
社労士の教科書』
A5判、10月
- 資格の学校TACが独学者・初学者専用に開発！フルカラーで圧倒的にわかりやすいテキストです。
- 2冊に分解OK！セパレートBOOK形式。
- 便利な赤シートつき！

『みんなが欲しかった！
社労士の問題集』
A5判、10月
- この1冊でイッキに合格レベルに！本試験形式の択一式＆選択式の過去問、予想問必要な分だけ収載。
- 『社労士の教科書』に完全準拠。

実力アップ

『みんなが欲しかった！
社労士合格のツボ 選択対策』
B6判、11月
- 基本事項のマスターにも最適！本試験のツボをおさえた選択式問題厳選333問!!
- 赤シートつきでパパッと対策可能！

『みんなが欲しかった！
社労士合格のツボ 択一対策』
B6判、11月
- 択一の得点アップに効く1冊！本試験のツボをおさえた一問一答問題厳選1600問!!基本と応用の2step式で、効率よく学習できる！

『みんなが欲しかった！
社労士全科目横断総まとめ』
B6判、12月
- 各科目間の共通・類似事項をこの1冊に
- 赤シート対応で、まとめて覚えられるから効

実践演習

『みんなが欲しかった！社労士の
年度別過去問題集 5年分』
A5判、12月
- 年度別にまとめられた5年分の過去問で知識を総仕上げ！
- 問題、解説冊子は取り外しOKのセパレートタイプ！

『みんなが欲しかった！
社労士の直前予想模試』
B5判、4月
- みんなが欲しかったシリーズの総仕上げ模試！
- 基本事項を中心とした模試で知識を一気に仕上げます！

書籍の正誤に関するご確認とお問合せについて

書籍の記載内容に誤りではないかと思われる箇所がございましたら、以下の手順にてご確認とお問合せをしてくださいますよう、お願い申し上げます。

なお、正誤のお問合せ以外の**書籍内容に関する解説および受験指導などは、一切行っておりません。**
そのようなお問合せにつきましては、お答えいたしかねますので、あらかじめご了承ください。

1 「Cyber Book Store」にて正誤表を確認する

TAC出版書籍販売サイト「Cyber Book Store」の
トップページ内「正誤表」コーナーにて、正誤表をご確認ください。

CYBER TAC出版書籍販売サイト
BOOK STORE

URL：https://bookstore.tac-school.co.jp/

2 1の正誤表がない、あるいは正誤表に該当箇所の記載がない ⇒ 下記①、②のどちらかの方法で文書にて問合せをする

★ご注意ください★

お電話でのお問合せは、お受けいたしません。
①、②のどちらの方法でも、お問合せの際には、「お名前」とともに、
「対象の書籍名（○級・第○回対策も含む）およびその版数（第○版・○○年度版など）」
「お問合せ該当箇所の頁数と行数」
「誤りと思われる記載」
「正しいとお考えになる記載とその根拠」
を明記してください。
なお、回答までに１週間前後を要する場合もございます。あらかじめご了承ください。

---

① ウェブページ「Cyber Book Store」内の「お問合せフォーム」より問合せをする

【お問合せフォームアドレス】

https://bookstore.tac-school.co.jp/inquiry/

---

② メールにより問合せをする

【メール宛先　TAC出版】

syuppan-h@tac-school.co.jp

※土日祝日はお問合せ対応をおこなっておりません。
※正誤のお問合せ対応は、該当書籍の改訂版刊行月末日までといたします。

乱丁・落丁による交換は、該当書籍の改訂版刊行月末日までといたします。なお、書籍の在庫状況等により、お受けできない場合もございます。
また、各種本試験の実施の延期、中止を理由とした本書の返品はお受けいたしません。返金もいたしかねますので、あらかじめご了承くださいますようお願い申し上げます。

（2022年7月現在）